# *Los mejores antojitos mexicanos*

*Las Delicias*

# *Los mejores antojitos mexicanos*



*Patricia González*

## El libro muere cuando lo fotocopian

Amigo lector:

La obra que usted tiene en sus manos es muy valiosa; en ella, su autor ha vertido conocimientos, experiencia y años de trabajo. El editor ha procurado una presentación digna de su contenido y pone todo su empeño y recursos para difundirla ampliamente, por medio de su red de comercialización.

Cuando usted fotocopia este libro o adquiere una copia «pirata» o fotocopia ilegal del mismo, el autor y el editor dejan de percibir lo que les permite recuperar la inversión que han realizado, y ello fomenta el desaliento de la creación de nuevas obras.

La reproducción no autorizada de obras protegidas por el derecho de autor, además de ser un delito, daña la creatividad y limita la difusión de la cultura.

Si usted necesita un ejemplar del libro y no le es posible conseguirlo, le rogamos hacérnoslo saber. No dude en comunicarse con nosotros.

Editorial Pax México, L.C.C. S.A.

**Los mejores antojitos mexicanos**


Librería Carlos Césarman, S.A.
Av. Cuauhtémoc 1430
Col. Sta. Cruz Atoyac
México, D.F. 03310
Tel.: 5605 · 7677
Fax: 5605 · 7600
editorialpax@mexis.com

Primera reimpresión
ISBN 968-860-556-6

Impreso en Colombia/*Printed in Colombia*

# Índice general

# Índice de recetas por estado

## Distrito Federal



## Durango



## Estado de México

## Guanajuato



## Guerrero



## Hidalgo



## Jalisco



## Michoacán

## Morelos



## Nayarit



## Nuevo León



## Oaxaca



## Puebla



## Querétaro

## Yucatán



## Zacatecas

# Prólogo

En la cocina mexicana el chile es alimento indispensable, porque da a cualquier guiso o preparado el toque excitante y cálido que lo hace más apetecible. Es tal la diversidad de chiles, con sus sabores y colores diversos, que su presencia en los alimentos excita tanto al paladar como a la vista. No menos de 40 variedades de chiles mexicanos se conocen, siendo entre ellas las más comunes las llamadas chiles cascabel, serrano, chipotle, poblano, piquín, ancho, mulato, jalapeño, pasilla y chiltepitín. El *tzilli*, nombre azteca del chile, proviene del vocablo maya *tzir*, que significa picar, irritar, y que a su vez es parte del nombre de la deidad cósmica *Zaki-Nima-Tzyz*, el Gran Mortificador del Alba. La misma raíz llevó el nombre que los huastecos dieron a la hormiga: *tzis*, que también irrita al picar, y que en la mitología indígena descubrió los primeros granos de maíz en la tierra, por lo que a esa planta se le llamó *tzili*.

Fuera de México, únicamente los indostánicos consumen el *capsicum*, que es el chile, como los mexicanos, pues lo comen diariamente con su arroz cocido en el agua y lo llaman también *chilli*, con su antiguo nombre azteca. En el Japón se ha ido popularizando el uso del chile, al igual que en los Estados Unidos; en este último país se consume mucho, sobre todo en el sur, un platillo que llaman en mal español "chili con carne". En los demás países hispanoamericanos, fuera de México, llaman al chile *ají*.

Compañeros del chile en las sabrosas salsas que con él se elaboran son otros dos productos indígenas mexicanos, que han conquistado al mundo: el aguacate y el tomate, llamado en el centro de México jitomate, que quiere decir tomate de color, para distinguirlo del otro tomate, verde o tomatillo. Ambos productos se conocen en el mundo con sus nombres indígenas: *ahuacatl* y *tomatl*, de los cuales han derivado las palabras extranjeras con que se les llaman, como *avocado* y *tomato* en inglés. El aguacate es tan rico, que ha sido llamado "mantequilla de árbol", y el tomate tan versátil, que lo mismo se emplea como condimento de sopas y guisos, que se toma solo o en jugo, y de él se hacen dulces y conservas.

El mexicano antiguo buscó siempre en sus guisos y condimentos los matices todos del arco iris, ya que para que la comida deleite plenamente no basta que sepa y huela bien, sino es preciso que luzca amablemente y sus colores enciendan el deseo de probarla. Quizá ningún otro pueblo en el mundo hizo, como el mexicano antiguo, variados platillos de las flores más coloridas, y cuando éstos no tenían color natural se lo daban por medio del achiote, la tuna y otros colorantes inofensivos. Y fue así como incorporó a su cocina el chile, que es tanto un grito del color como un alarido de la euforia; y así lo acogió la cocina del mundo, como un nuevo toque que le faltaba y hasta entonces no había conocido.

## Enchiladas de Sonora

• • • • • • •

**1 kilo de masa de maíz**
**1/2 kilo de queso fresco**
**100 gramos de queso rallado**
**100 gramos de aceitunas**
**6 chiles colorados**
**1 cebolla chica**
**1 manojo de rábanos**
**1 lechuga**
**orégano y vinagre**
**sal al gusto**

Se incorpora el queso fresco a la masa, se hacen tortillas y se fríen en bastante manteca hasta que se doren. Se muele muy bien el chile y se sazona, agregándole orégano, sal y un poco de vinagre, y allí se mojan las tortillas, que se van poniendo en un platón en el que previamente se hayan colocado las hojas de lechuga cubriendo el fondo. Sobre las tortillas enchiladas se pondrá una mezcla de queso rallado con cebolla finamente picada y desflemada, orégano, aceitunas picadas y vinagre. Se adorna con algunas aceitunas enteras, hojas de lechuga y los rábanos abiertos en flor.

## Enchiladas pulqueras de México

• • • • • • •

**24 tortillas de maíz**
**230 gramos de tomates verdes**
**3 cebollas**
**115 gramos de queso añejo**
**1 manojo de rábanos**
**230 gramos de manteca**
**4 chiles serranos**
**2 dientes de ajo**
**1 lechuga**
**230 gramos de lomo de puerco (en trozos pequeños)**
**sal al gusto**

Los tomates y los chiles se ponen a hervir; se muelen con el ajo y se fríen. A las tortillas, ligeramente fritas en manteca, se les pone una cucharada de la salsa anterior, cebolla picada, un trozo de lomo cocido, queso rebanado, se doblan y se cubren con rebanadas de rábano, hojas de lechuga y más queso rallado.

## Enchiladas de mole de Oaxaca

• • • • • • •

| | |
|---|---|
| **24 tortillas** | **3 jitomates** |
| **50 gramos de chile pasilla** | **1 cebolla** |
| **50 gramos de chile ancho** | **1 lechuga** |
| **50 gramos de chile mulato** | **2 cucharadas de pan molido** |
| **30 gramos de almendras** | **1 cucharada de ajonjolí** |
| **30 gramos de cacahuates** | **230 gramos de manteca** |
| **30 gramos de chocolate** | **clavo, canela, pimienta,** |
| **8 tomates verdes** | **hierbas de olor y sal al gusto** |

Los chiles asados se muelen con los cacahuates, almendras, pan, media tortilla frita y seca, el tomate verde, el jitomate asado, el ajonjolí tostado, la cebolla picada y las hierbas de olor que se les quiera agregar. Todo se disuelve en agua, y se pone al fuego, sin dejar de mover, hasta que se sazone; se meten en ese mole las tortillas, ligeramente fritas, se colocan dobladas a la mitad y se espolvorean con el ajonjolí restante. Se adornan con hojas de lechuga.

## Enchiladas gratinadas del Distrito Federal

• • • • • • •

| | |
|---|---|
| **24 tortillas** | **50 gramos de mantequilla** |
| **230 gramos de manteca** | **1/4 de litro de crema** |
| **230 gramos de carnitas de puerco** | **6 chiles anchos** |
| | **1 cebolla** |
| **50 gramos de queso Chihuahua** | **1 diente de ajo** |
| | **sal al gusto** |

Se tuestan los chiles, se desvenan, se muelen con cebolla, ajo y un poco de agua; se fríen y cuando empieza a espesar la salsa se mojan en ella las tortillas que han sido ligeramente fritas; se rellenan con las carnitas picadas o deshebradas y el queso; se doblan, se adornan con crema, queso, trocitos de mantequilla y se meten al horno hasta que se doren.

## Enchiladas de Sinaloa

• • • • • • •

| | |
|---|---|
| 15 tortillas chicas | 1 diente de ajo |
| 100 gramos de manteca | 1 lechuga |
| 1 chorizo | 1 manojo de rábanos |
| 75 gramos de queso | 1 cebolla entera |
| 200 gramos de papas | 2 cebollas picadas |
| 4 chiles anchos | sal al gusto |

Las tortillas se fríen en manteca; los chiles se tuestan, se remojan en una taza de agua; se muelen con la cebolla entera y el ajo; se fríe esta salsa y cuando espesa, en ella se bañan las tortillas fritas; se rellenan con el chorizo frito, las papas cocidas y cortadas en cuadritos, la mitad del queso y una cebolla picada. Una vez rellenas las enchiladas se doblan y se cubren con cebolla picada y queso rallado, y se adornan con hojas de lechuga y rábanos en flor.

## Enchiladas de Tamaulipas

• • • • • • •

| | |
|---|---|
| 24 tortillas | 3 cebollas |
| 225 gramos de queso | 1 diente de ajo |
| 175 gramos de manteca | 1 lechuga |
| 6 chiles anchos | 2 clavos y sal al gusto |

Los chiles desvenados, se muelen con el ajo y una cucharada de semillas tostadas de los mismos chiles; se les agrega el agua en que se remojaron los chiles, se cuela esa salsa y se fríe con sal y las especias molidas. Cuando espesa, se meten en ella las tortillas ligeramente doradas en manteca. Se les pone queso rallado, cebolla picada y se doblan, espolvoreándolas nuevamente con queso rallado, rebanadas de cebolla y hojas de lechuga.

## Enchiladas de Aguascalientes

• • • • • • •

**24 tortillas chicas**
**10 tomates verdes**
**5 chiles anchos**
**1/4 de kilo de papas**
**1 lechuga**
**1 manojo de rabanitos**
**1 chorizo**
**120 gramos de queso añejo**
**1/2 taza de crema**
**120 gramos de manteca**
**1/2 taza de leche**
**sal al gusto**

Los chiles se desvenan, se remojan en la leche y se muelen con ella y los tomates cocidos, agregándoles la mitad del queso. Después se les mezcla la crema y la sal. En esta salsa se remojan las tortillas, se fríen en la manteca y se les pone el relleno; se doblan y se colocan en un platón, espolvoreándolas con el resto del queso y adornándolas con las hojas de lechuga y los rabanitos. Para hacer el relleno se fríen en una cucharada de manteca, el chorizo, las papas cocidas y picadas en cuadritos, agregándoles un poco de queso rallado y sal.

## Enchiladas pachuqueñas

• • • • • • •

**20 tortillas chicas**
**5 chiles poblanos**
**1 cebolla**
**1 lechuga**
**1 manojo de rabanitos**
**100 gramos de cacahuates pelados**
**30 gramos de pan blanco**
**1 pechuga de pollo**
**150 gramos de queso blanco**
**1/2 taza de leche**
**1/2 taza de crema**
**1 taza de aceite**
**sal al gusto**

Los chiles se asan, se desvenan, se muelen con la cebolla y se fríen en una cucharada de aceite; se agregan los cacahuates molidos con el pan, previamente remojado en la leche. Se añaden la leche y la crema; se sazona con un poco de sal y se deja hervir todo hasta que espese. Se fríen las tortillas con el resto del aceite; se bañan en la salsa anterior; se rellenan con la pechuga deshebrada y un poco de queso; se doblan y se colocan en un platón cubriéndolas con más salsa y queso rallado; se adornan con hojas de lechuga y los rabanitos abiertos en flor.

## Enchiladas de jitomate de Zacatecas

• • • • • • •

**20 tortillas chicas y delgadas**
**1 pechuga de pollo, cocida y deshebrada**
**4 cucharadas de manteca**
**1/4 de litro de crema de leche**
**50 gramos de queso rallado**
**1 cebolla mediana picada**
**2 dientes de ajo, picados**
**300 gramos de jitomate, asado y molido**
**2 chiles serranos asados y molidos**
**sal al gusto**

En una cazuela se pone la manteca al fuego y cuando esté bien caliente se le agrega el ajo y la cebolla; cuando se acitrona ésta, se le mezcla el jitomate y los chiles, y se deja freír muy bien esta salsa, en la cual se bañan las tortillas ligeramente fritas. Se rellenan con la pechuga de pollo y se doblan; se ponen en un platón refractario, se cubren con crema, se espolvorean con queso, y se meten al horno caliente, durante 10 minutos, antes de servirse.

## Enchiladas de Baja California

• • • • • • •

**18 tortillas**
**2 cebollas**
**2 papas**
**2 dientes de ajo**
**5 chiles anchos**
**8 chiles serranos**
**12 granos de pimienta**
**1 lechuga**
**1 queso fresco de vaca**
**sal al gusto**

Los chiles se abren, se desvenan muy bien, se ponen a remojar un rato y por último se muelen. Hecho esto se vacían en un plato y se deslíen en una poca de agua, cuidando de separar un poco del chile molido; en éste se disuelve la masa con una poca de sal; ya pintada la masa, se van haciendo las tortillas, procurando que sean chicas y delgadas. Después de agregarle al chile una poca de sal, pimienta y ajo molidos, se moja cada tortilla en él; en seguida se doran en una sartén con manteca muy caliente y se rellenan. Aparte se habrá rallado el queso, la cebolla finamente picada y puesta en agua con sal; las papas se habrán cocido, pelado y cortado en cuadros chicos, que en seguida se pasan por la misma manteca en que se doraron las tortillas, haciendo lo mismo con los chiles crudos y lavados; éstos se dejarán freír, evitando que se quemen, procurando hacerles una pequeña incisión, para que la manteca no salte.

Ya todo listo, se mezcla la mitad del queso con la mitad de la cebolla; se sazona con sal y se van rellenando con esto las enchiladas, las que se colocarán en un platón o en platos individuales; se les baña con bastante manteca caliente, terminando por adornarlas con la cebolla y el queso restante, con las papas, la lechuga picada y con hojas enteras de lechuga; al final se colocan los chiles fritos. Se sirven bien calientes.

## Enchiladas regias de Baja California

• • • • • • •

**24 tortillas chicas**
**230 gramos de manteca**
**250 gramos de lomo de puerco**
**2 chorizos**
**115 gramos de queso añejo**
**2 chiles jalapeños en vinagre**
**6 chiles anchos**
**2 cebollas**
**50 gramos de aceitunas**
**50 gramos de alcaparras**
**2 cucharadas de perejil picado**
**1/4 de cucharada de semillas de cilantro**
**nuez moscada, clavo, canela, pimienta en polvo, un poco de tomillo y sal al gusto**

Los chiles anchos se tuestan, se desvenan y se muelen con los jalapeños en vinagre, una cebolla, el perejil picado, las semillas de cilantro y un poco de tomillo. En esa salsa, a la que se agregan finalmente especias en polvo y la sal necesaria para sazonarla, se mojan las tortillas, que se rellenan luego con el lomo de puerco y los chorizos fritos en manteca y desmenuzados. Se doblan las enchiladas y se espolvorean con queso rallado y cebolla finamente picada; se adornan con las aceitunas y alcaparras.

## Chilaquiles de estudiante de Oaxaca

• • • • • • • •

*Salsa:*

| | |
|---|---|
| 10 chiles anchos | 1 cucharadita de azúcar |
| 1 chile pasilla | 10 pimientas negras |
| 1/2 cabeza de ajo asado | 3 clavos |
| 2 jitomates asados | 1 raja de canela |
| 1/2 cebolla | 7 almendras |
| 1 litro de caldo de pollo | 3 cucharadas de ajonjolí |
| 20 gramos de manteca | 1 cucharada de orégano |
| 2 cucharadas de pan molido | vinagre y sal al gusto |

*Picadillo:*

| | |
|---|---|
| 30 tortillas medianas | 1/2 cebolla |
| 1/2 kilo de carne de cerdo | 1 lechuga |
| 2 dientes de ajo | 1 manojo de rabanitos |
| 1 jitomate | 1 queso fresco |
| 8 almendras | 1 ramita de perejil |
| 50 gramos de pasas | sal al gusto |

Para hacer la salsa se desvenan los chiles y se calientan en el fuego; se remojan y se muelen junto con el ajonjolí y las almendras fritas. También se muelen la canela, el ajo, la pimienta, el orégano y el clavo; todo esto se fríe en una cucharada de manteca y luego se le agrega el jitomate asado y molido, la cebolla y el caldo de pollo. Se le añaden dos cucharadas de pan molido para espesar la salsa y luego la cucharadita de azúcar, dejándola hervir hasta que se sazone.

Para el picadillo, se pone a cocer la carne de cerdo y se corta finamente; se pican el jitomate, la cebolla, el ajo y el perejil, friéndolos muy bien y agregándoles después la carne, así como las pasas, las almendras picadas y un poco de sal.

El platillo se forma colocando en el platón capas alternadas de tortillas fritas en manteca, picadillo encima y salsa hasta cubrir todo; luego otra vez tortilla, picadillo y salsa, y así sucesivamente hasta que se terminen las tortillas. Arriba se pone el resto de la salsa y se adorna con queso desmoronado, cebolla cortada en ruedas, perejil deshojado, hojas de lechuga y rabanitos abiertos en flor.

## Quesadillas de pancita de Hidalgo

• • • • • • •

- 230 gramos de masa de maíz
- 1 cucharada de harina de trigo
- 1 cucharada de manteca
- 230 gramos de pancita
- 115 gramos de hígado de carnero
- 1 huevo
- 50 gramos de queso fresco
- 3 chiles serranos
- 2 dientes de ajo
- 1 cebolla
- 230 gramos de jitomate
- sal al gusto

La masa se revuelve con el huevo, la manteca, la harina, el queso rallado, la levadura y sal; se amasa bien y se le agrega agua tibia, si es necesario. Se hacen tortillas, se les pone el relleno, se doblan y se fríen. El relleno se hace friendo ajos, cebolla, jitomate picado, la pancita y los hígados cocidos y picados, así como los chiles rebanados y sal al gusto; se deja al fuego hasta que espese.

## Quesadillas de Morelos

• • • • • • •

- 400 gramos de masa de maíz
- 75 gramos de tuétano
- 75 gramos de queso fresco
- 1/4 de cucharadita de levadura en polvo
- 2 yemas de huevo
- 200 gramos de manteca
- sal al gusto

*Relleno:*

- 300 gramos de papas
- 30 gramos de queso añejo
- 1 cucharada de manteca
- 2 chorizos
- 3 chiles poblanos
- 1 cebolla
- 1 jitomate
- sal al gusto

La masa se muele con el queso y el tuétano; se amasa con las yemas de huevo, el polvo para hornear y un poco de sal; se deja reposar por 2 horas y pasado ese tiempo se hacen las tortillas, se les pone en el centro el relleno y se forman las quesadillas; se fríen en manteca muy caliente; se sirven con hojas de lechuga y rabanitos hechos flor, como adorno.

El relleno se hace friendo en una cucharada de manteca, el chorizo y los chiles asados, desvenados y cortados en rajas; se agrega el jitomate asado, molido con la cebolla y colado, así como, sal y pimienta. Cuando empieza a espesar, se le agregan las papas cocidas y picadas; ya que se secan, se retiran del fuego y se les agrega sal y queso rallado.

## Quesadillas de leche de Baja California

●●●●●●●

**3/4 de litro de leche**
**1/4 de litro de crema fresca**
**75 gramos de obleas**
**450 gramos de dulce piloncillo**
**1 raja de canela**

Se mezclan la leche, la crema, el piloncillo y la canela; se pone al fuego moviéndolo continuamente hasta que espese, o hasta que, tomando un poquito de la mezcla y poniéndolo en agua fría, se forme una bolita. Se retira del fuego y se bate hasta que forme una pasta; se van poniendo cucharadas de ella en las obleas, que se doblan como las quesadillas, resultando así unas quesadillas dulces, muy apetitosas.

## Quesadillas de frijoles de Nayarit

• • • • • • •

| | |
|---|---|
| **200 gramos de masa de maíz** | **6 cucharadas de aceite** |
| **50 gramos de harina de trigo** | **1 cebolla** |

*Relleno:*

| | |
|---|---|
| **200 gramos de jitomate** | **1 chile chipotle en vinagre** |
| **1/2 kilo de frijol cocido** | **sal al gusto** |

La masa se mezcla con la harina de trigo y un poco de sal, agregándole el agua necesaria para formar una masa suave, que se extiende con el rodillo hasta dejarla de un centímetro de grueso; se cortan ruedas como tortillas y se les pone en el centro el relleno; se doblan formando las quesadillas, que se fríen en aceite y se sirven muy calientes.
Para hacer el relleno, se fríe el jitomate asado y molido con la cebolla y el chile chipotle; cuando está bien frito se añade el frijol cocido y molido, hasta que forma una pasta de buena consistencia, con la que se rellenan las quesadillas.

## Tacos de frijol de Yucatán

• • • • • • •

| | |
|---|---|
| **24 tortillas** | **200 gramos de chile verde** |
| **1/2 kilo de frijol negro, entero** | **1 limón** |
| | **1 rama de epazote** |
| **1/4 de kilo de carne de cerdo** | **1 rama de cilantro** |
| **1 cebolla** | **sal al gusto** |
| **1 manojo de rabanitos** | |

Se cuecen los frijoles en agua con sal; se sacan del caldo y en él se cuece la carne, con epazote. Se fríen los frijoles enteros y la carne en bastante manteca y se revuelven con la cebolla, los rabanitos y los chiles, previamente desvenados, asados y limpios, todo picado finamente con el cilantro y sazonados con el jugo de limón y sal. Se fríen las tortillas y se rellenan con este recaudo, enrollándose como tacos.

## Taquitos de rellena del Distrito Federal

• • • • • • • •

| | |
|---|---|
| 18 tortillas | 2 dientes de ajo |
| 250 gramos de rellena | 2 chiles serranos |
| 50 gramos de queso | 1 lechuga |
| 400 gramos de tomate verde | 1 ramita de cilantro |
| 1 cebolla | manteca y sal al gusto |

A la rellena se le quita la piel y se fríe con la cebolla, el ajo y el cilantro, todo bien picado, sazonándola con un poco de sal; se deja al fuego hasta que espese. Se fríen entonces las tortillas, procurando que no se doren; se les pone el relleno y se enrollan; se colocan en un platón y se espolvorean con queso rallado, adornándose con hojas de lechuga.

## Taquitos de jamón de Tamaulipas

• • • • • • • •

| | |
|---|---|
| 1 lata de jamón endiablado | leche |
| 2 cucharadas de mantequilla | 1/4 kilo de jamón rebanado |
| 2 cucharadas de perejil | 1 lechuga |
| finamente picado | pimienta en polvo |
| 1/4 de taza de crema de | sal al gusto |

Se bate el jamón endiablado con la mantequilla, el perejil, la pimienta en polvo y un poco de sal; se le agrega la crema y se sigue batiendo. Se hacen unos taquitos con las rebanadas de jamón y se rellenan con la mezcla anterior; se acomodan en un platón y se sirven con la lechuga picada.

## Tacos de picadillo de Oaxaca

• • • • • • •

**24 tortillas**
**150 gramos de carne de res, molida**
**150 gramos de carne de cerdo, molida**
**50 gramos de queso añejo**
**150 gramos de jitomate asado y molido**
**2 dientes de ajo, picados**
**1 cebolla finamente picada**
**1 lechuga**
**1 ramita de perejil**
**chiles serranos o en vinagre, enteros, en rajas o picados**
**especias molidas**
**sal al gusto**

En poca grasa caliente se acitronan las cebollas y el ajo; se añaden las carnes y se dejan sazonar, revolviéndolas de vez en cuando. Luego se agregan el jitomate, el perejil, los chiles, la sal y las especias, y se cuece todo a fuego lento, hasta que se seque. Se fríen las tortillas en bastante manteca, doblándolas por la mitad; se escurren y se les pone la carne con el recaudo; se sirven adornándolas con el queso rallado y hojas de lechuga. En cuestión de especias puede usarse pimienta, clavo y canela molidos, con tomillo en polvo y alguna salsa.

## Taquitos de crema de Tlaxcala

• • • • • • •

**15 tortillas chicas**
**2 chiles poblanos**
**350 gramos de jitomate**
**1 cebolla chica**
**75 gramos de manteca**
**1/2 taza de crema**
**50 gramos de queso fresco de vaca**
**25 gramos de mantequilla**
**sal al gusto**

En poca manteca se fríen los chiles asados, desvenados y en rajas; se agrega el jitomate asado, molido con la cebolla y colado; se deja hervir hasta que espese, sazonándolo con sal y pimienta. Se fríen ligeramente las tortillas en manteca, se rellenan con la salsa, se enrollan como taquitos y se van acomodando en un platón refractario untado con mantequilla, una capa de taquitos, otra de crema, queso rallado y bolitas de mantequilla, y así, hasta terminar. Se mete al horno a que se doren y se sirven muy calientes.

## Taquitos de barbacoa de Querétaro

• • • • • • •

| | |
|---|---|
| **20 tortillas chicas** | **3 tamales de charalitos** |
| **230 gramos de barbacoa de carnero** | **3 cucharadas de cilantro picado** |
| **115 gramos de chicharrón esponjado** | **5 chiles serranos** |
| **115 gramos de queso fresco de cabra** | **4 cucharadas de cebolla picada** |
| | **230 gramos de manteca** |

*Salsa:*

| | |
|---|---|
| **450 gramos de jitomate** | **3 aguacates** |
| **1 cebolla** | **1 cucharada de manteca** |
| **1 diente de ajo** | **sal al gusto** |

La barbacoa se deshebra; se le agregan los charales, el chicharrón desmoronado, el queso rallado, el cilantro, la cebolla y los chiles picados. Con esto se rellenan las tortillas, se forman los tacos, se prenden con un palillo, se fríen en la manteca hasta que queden ligeramente dorados y se sirven con la siguiente salsa:
El jitomate asado se muele con la cebolla y el ajo; se fríen en una cucharada de manteca; cuando espesa se retira del fuego y cuando enfría se le agregan los aguacates picados en cuadritos.

## Enfrijoladas de chicharrón de Tabasco

• • • • • • • •

**20 tortillas**
**100 gramos de migaja de chicharrón**
**1/2 litro de caldo de frijol**
**50 gramos de queso añejo**
**300 gramos de jitomate molido**
**1 cebolla**
**4 chiles poblanos**
**50 gramos de mantequilla**
**150 gramos de manteca**
**sal y pimienta al gusto**

En una cucharada de manteca se fríen los chiles en rajas; se les agrega el jitomate molido con la cebolla, sal y pimienta; cuando espesa la salsa se le agregan los chicharrones y se deja que todo dé un hervor, quedando espeso el relleno. Se fríen las tortillas en manteca, se pasan por el caldo de frijol y se les pone el relleno; se enrollan los taquitos; se pone en un platón refractario engrasado, una capa de estos taquitos, otra de caldo de frijol muy espeso, el queso rallado y bolitas de mantequilla. Se mete al horno hasta que dore.

## Gorditas de frijol negro de Chiapas

• • • • • • • •

**1/4 de kilo de masa para tortilla**
**200 gramos de manteca**
**200 gramos de frijol negro**
**3 cebollas**
**salsa picante, manteca y sal al gusto**

La masa se mezcla con 2 cucharadas de manteca y sal; se amasa muy bien como para hacer tortillas; se toma la cantidad necesaria para una tortilla en la mano y se le hace un hueco; en él se pone el frijol ya preparado y se cubre con la misma masa; se extiende ésta para hacer la tortilla; se fríen en manteca y al momento de servirlas se bañan con la salsa picante colorada.
El frijol se pone a remojar primero, y luego a cocer; cuando está ya suave se muele y se le agrega la sal y las cebollas picadas y fritas en manteca; se deja sazonar hasta formar una pasta no muy aguada, que es con la que se rellenan las gorditas.

## Chalupas de Tlaxcala

● ● ● ● ● ● ●

**1/2 kilo de masa para tortillas**
**1/4 de kilo de falda de puerco**
**150 gramos de manteca de puerco**
**4 cebollas**
**sal al gusto**

*Salsa verde:*

**12 tomates verdes grandes**
**2 chiles serranos**
**1 diente de ajo**
**sal al gusto**

La masa se mezcla con un poco de agua tibia para que quede muy suave; se hacen las tortillitas chicas y delgadas; se cuecen bien. Sobre una charola de lámina puesta en la lumbre se colocan las tortillas; encima se les pone manteca requemada y la salsa verde; sobre ésta se pone cebolla finamente picada, la carne cocida y deshebrada; luego se rocían con manteca muy caliente y se sirven. Para hacer la salsa se cuecen los tomates; se muelen con los chiles, el ajo y el cilantro y se sazona con sal.

## Chalupas del Distrito Federal

● ● ● ● ● ● ●

**460 gramos de masa para tortillas**
**230 gramos de falda de puerco**
**150 gramos de manteca de puerco**
**12 tomates verdes, grandes**
**4 cebollas**
**2 chiles serranos**
**1 diente de ajo**
**sal al gusto**

Se amasa la masa de maíz con un poco de agua tibia para que quede manejable; se hacen con ella las tortillitas o chalupas, delgadas. Se preparan las chalupas poniéndoles encima un poco de salsa verde, la cebolla finamente picada, la carne cocida y deshebrada. Ya preparadas así se ponen al fuego y se les vierte manteca derretida por encima, para que se frían bien.
La salsa se hace tostando los tomates y pelándolos, para molerlos con los chiles también tostados, el cilantro y la sal. Esta salsa se fríe y espesa al gusto, en una cucharada de manteca.

## Sopes con frijoles de México

• • • • • • •

| | |
|---|---|
| 250 gramos de masa para tortillas | 2 chiles poblanos |
| 20 gramos de harina de trigo | 250 gramos de jitomate |
| 100 gramos de frijol | 50 gramos de queso añejo |
| 1/2 taza de aceite | 1 cebolla regular |
| | sal al gusto |

La masa se mezcla con la harina, sal y agua y se hacen 12 gorditas no muy gruesas, con un borde en la orilla; se fríen en el aceite y se les ponen los frijoles refritos, sobre ellos un poco de salsa y se espolvorean con queso rallado. La salsa se hace en la forma acostumbrada.

## Sopes de Michoacán

• • • • • • •

| | |
|---|---|
| 250 gramos de masa para tortillas | 250 gramos de manteca |
| 230 gramos de lomo de cerdo cocido | 2 yemas de huevo |
| 150 gramos de frijoles cocidos | 5 chiles poblanos |
| 125 gramos de queso añejo | 300 gramos de jitomate |
| | 2 cebollas |
| | pimienta molida y sal al gusto |

La masa se muele con la mitad del queso; se le agregan las yemas, una cucharada de manteca y sal al gusto; se amasa hasta que, poniendo una bolita de masa en un vaso con agua, alcance a flotar; se deja reposar durante 2 horas y entonces se forman los sopes como gorditas, haciéndoles un borde; se fríen en manteca y, ya fritos, se les pone una capa de frijoles molidos y refritos, otra de salsa, el lomo de puerco cocido, deshebrado y frito, y se espolvorean con el queso restante. Los frijoles se ponen a cocer con una cebolla y 2 cucharadas de manteca; ya cocidos se muelen, se les agrega una taza del caldo en que se cocieron y se fríen en 2 cucharadas de manteca hasta que formen una pasta. La salsa se hace friendo en una cucharada de manteca los chiles asados, desvenados y cortados en rajas; se agrega el jitomate asado, molido con la cebolla y colado; se sazona con sal y pimienta y se deja hervir hasta que espese.

## Sopes de Guadalajara

• • • • • • •

**1/2 kilo de masa de maíz**
**200 gramos de chorizo desmenuzado**
**150 gramos de queso rallado**
**1 lechuga chica**
**2 tazas de frijol cocido y molido**
**1/2 cebolla chica**
**sal al gusto**

Con la masa se hacen 24 gorditas, que se cuecen sobre un comal, pellizcándoles las orillas para que se les forme un borde; se fríen en bastante manteca, sin dejar que se endurezcan; se escurren bien y se mantienen calientes, mientras se cubren con el relleno.
En 2 cucharadas de manteca se acitrona la cebolla picada; se añade el chorizo desmenuzado y se fríe bien; se retira y se escurre. En 2 cucharadas de manteca se fríe bien el frijol, que se unta en las tortillas o sopes; encima se les pone un poco de chorizo y luego la lechuga picada y el queso rallado. Se sirven bien calientes, con un poco de salsa picante, si se quiere.

## Tostadas de Colima

• • • • • • •

**250 gramos de masa de maíz**
**4 patas de puerco**
**200 gramos de frijol cocido**
**175 gramos de queso añejo**
**1 manojo de rábanos**
**4 cebollas**
**3 dientes de ajo**
**2 lechugas**
**hojas de laurel, orégano y pimienta, en polvo**
**aceite y vinagre**
**sal al gusto**

Se hacen las tortillas gordas y se ponen a cocer en el comal; cuando se empiezan a cocer se retiran de la lumbre y se les quita el pellejo con la mano; se vuelven a moler en el metate y se adelgazan, cociéndolas en el comal. Se fríen en manteca hasta que doren; se les pone entonces una capa de frijoles refritos, lechuga picada, queso rallado y rueditas de rábano, con las patas de puerco picadas. Estas se preparan cociéndolas en agua; se deshuesan y se ponen en vinagre por 6 horas, agregándoles agua, cebollas rebanadas, orégano, sal y pimienta.

## Tostadas de papa de Sinaloa

• • • • • • •

**24 tortillas chicas**
**1/2 kilo de papas cocidas y picadas**
**1 jitomate grande, cocido y picado**
**1 cebolla chica, picada**
**3 chiles poblanos, cortados en rajas**
**1 rama de perejil picado**
**sal al gusto**

Las papas cocidas y picadas se doran en manteca; en otro recipiente con manteca se fríe el chile en rajas, se retira y en la misma grasa se acitrona la cebolla; se le añade la tercera parte del jitomate, el perejil y sal al gusto. Cuando toma el punto de salsa se le agregan las papas y se deja sazonar unos minutos. Se fríen las tortillas hasta que estén doradas; se escurren y se les pone la papa preparada; se adornan con el chile, el resto del jitomate y perejil picados.

## Tortillas poblanas con crema

• • • • • • •

**12 tortillas de maíz**
**125 gramos de queso añejo rallado**
**1 taza de crema**
**4 chiles poblanos**
**1/2 cebolla**
**sal al gusto**

Se tuestan los chiles, se desvenan y se les quitan las semillas; se remuelen perfectamente con la cebolla y sal, y se fríen procurando que la salsa quede espesa. Se fríen las tortillas y se meten en la salsa, poniéndoles queso en medio; se doblan por la mitad y al servirse se bañan con crema.

## Peneques del Distrito Federal

• • • • • • •

- 12 peneques o tortillas especiales
- 2 huevos
- 100 gramos de manteca
- 100 gramos de queso
- 300 gramos de jitomate
- 1 cebolla
- 1 diente de ajo
- 1/4 de litro de caldo
- 2 cucharadas de harina
- pimienta molida y sal al gusto

Se abren los peneques por un lado; se rellenan con una rebanada de queso; se pasan por harina y por los huevos batidos; se fríen en manteca y se ponen en el caldillo a que den un hervor. El caldillo se hace friendo el jitomate y moliéndolo con cebolla; cuando reseca se agrega el caldo, se sazona con sal y pimienta y se deja hervir; cuando espesa se agregan los peneques.

## Barquitas mexicanas

• • • • • • •

- 250 gramos dc masa de maíz
- 8 cucharadas de harina
- 1 cucharada de manteca
- 1 huevo
- 1 yema de huevo
- 1 cucharadita de sal

*Relleno:*

- 150 gramos de frijol cocido
- 200 gramos de jitomate
- 1 lata de sardinas
- 1 cebolla
- 30 gramos de manteca
- sal al gusto

*Adorno:*

- 1 lechuga
- 2 aguacates
- 3 jitomates
- 1 queso fresco
- vinagre, aceite, sal y pimienta molida

La masa se mezcla con la harina, la manteca, el huevo, la yema de otro huevo y sal; se amasa bien, se extiende con el palote dejándola de medio centímetro y se van formando por la parte de afuera moldes de barquitas que estarán engrasadas. Se fríen con el molde, y ya que están ligeramente doradas, se sacan y colocan en un platón.

Se rellenan con los frijoles y en la parte superior se decoran, formando con los adornos, la bandera mexicana, poniendo primeramente una franja verde con pasta de aguacate; otra blanca de queso en medio y, en seguida, la roja con el jitomate molido. Se sirven con la lechuga picada y sazonada con aceite, vinagre, sal y pimienta, que se pone alrededor de las barcas. Deben servirse muy calientes.

## Tartaletas de pollo del Distrito Federal

• • • • • • •

| | |
|---|---|
| **2 tazas de harina** | **4 cucharadas de manteca** |
| **2 cucharaditas de polvo de hornear** | **1/2 cucharadita de sal** |

*Relleno:*

| | |
|---|---|
| **1 taza de pollo picado** | **2 cucharadas de maicena** |
| **1 taza de caldo de pollo** | **pimienta en polvo y sal al gusto** |
| **2 cucharadas de mantequilla** | |

Se ciernen la harina, la sal y la levadura en polvo; se agregan la manteca y el agua necesaria para formar una masa que se extiende con el palote dejándola de medio centímetro de grueso; se cortan ruedas que se colocan en láminas engrasadas, que se ponen a un fuego suave; cuando están cocidas por un lado se sacan y se voltean para que se cuezan por el otro. Ya bien cocidas, se rellenan con la siguiente pasta. La maicena, se fríe en la mantequilla, y se le agrega el caldo antes de que se dore; se sazona con sal y pimienta y se deja espesar como crema; se le agrega el pollo picado y con esta pasta se rellenan las tartaletas.

## Flautas de pollo de Morelos

• • • • • • •

**24 tortillas grandes y delgadas**
**2 tazas de pollo cocido y deshebrado**
**suficiente manteca para freír**
**salsa verde para cubrir**
**sal al gusto**

Sobre una orilla de las tortillas bien calientes se pone la carne; se enrollan lo más apretado posible; se sujetan con palillos y se dejan enfriar bien. Luego se fríen en bastante manteca hasta que se doren; se escurren y se sirven con salsa verde.

## Empanaditas yucatecas

• • • • • • •

**200 gramos de masa para tortillas**
**200 gramos de harina de trigo**
**1 cucharadita de levadura en polvo**
**1 cucharadita de manteca**
**achiote y sal al gusto**

*Relleno:*

**200 gramos de lomo de puerco**
**300 gramos de jitomate**
**150 gramos de manteca**
**1 cebolla**
**pimienta y sal al gusto**

La masa se mezcla con la harina y la levadura; se amasa con el huevo, manteca, sal y el achiote disuelto en agua, usando el necesario para darle a la masa un bonito color; se extiende con el palote; se corta en ruedas con un cortador rizado; se le pone el relleno y se doblan como empanaditas; se fríen y se sirven calientes.

El relleno se hace friendo en la manteca el lomo cocido y deshebrado; cuando empieza a dorar se le agrega el jitomate asado y molido con la cebolla y la pimienta, y un poco de sal; se deja hervir hasta que espese.

## Empanadas criollas de Puebla

• • • • • • • •

**400 gramos de harina de trigo**
**1 yema de huevo**
**4 cucharadas de aceite**
**1/2 cucharadita de sal**

*Relleno:*

**200 gramos de lomo de puerco picado**
**100 gramos de salchicha**
**4 cebollas de rabo**
**2 huevos duros picados**
**50 gramos de pasas**
**50 gramos de aceitunas picadas**
**1 cucharada de azúcar**
**1 ramita de perejil**
**cominos y sal al gusto**

Se amasan juntos la harina, la yema de huevo, el aceite y la sal, agregándole apenas el agua tibia necesaria para hacer la masa, que se deja reposar. En una sartén se fríen las cebollas picadas sin sus rabos; se les agrega el lomo y la salchicha, picados también, y se cocinan a fuego vivo por unos minutos; se retira esto para ponerle el perejil picado, los huevos cocidos y picados, las pasas y las aceitunas desmenuzadas, el azúcar y unos cominos.
Estando el relleno frío se estira la masa, se corta en medallones algo grandes y se pone en cada uno de ellos un poco de relleno; se untan los bordes con agua y se unen al doblarse las tortillas para formar las empanadas; se les hace un repliegue en la orilla y se fríen en abundante aceite o manteca, hasta que estén cocidas y bien doradas.

## Tortillas de harina de Nuevo León

• • • • • • •

**3 tazas de harina**
**1 cucharadita de levadura en polvo**
**3 cucharadas de azúcar**
**3 cucharadas grandes de manteca**
**1 taza de leche**
**sal al gusto**

Se cierne la harina con la levadura en polvo; se bate la manteca con el azúcar y se le agrega la harina, mezclando todo muy bien; se ablanda la masa con la leche que sea necesaria y se sigue amasando, hasta que todo quede bien incorporado. Se divide entonces la masa en bolitas, que se extienden en una tabla o en la mesa para hacer las tortillas. Estas se cuecen en el comal y a fuego lento.

## Tortillas sonorenses

• • • • • • •

**375 gramos de harina**
**1 cucharadita de sal**
**75 gramos de manteca**
**1/2 taza de agua tibia**

Se cierne la harina junto con la sal; se añade la manteca, cortándola bien; luego se incorpora poco a poco el agua tibia, para formar una masa que se trabaja hasta que quede suave; se envuelve en un lienzo húmedo y se deja reposar por 15 minutos. Después se divide en 24 bolitas, que se extienden con el palote dándoles forma redonda y dejándolas lo más delgadas posible. Se cuecen sobre un comal hasta que se doren ligeramente en ambos lados.

## Panuchos yucatecos

• • • • • • • •

1/2 kilo de masa de maíz
1/4 de kilo de cazón
100 gramos de manteca de puerco
cebolla y ajo
sal al gusto

Con la masa se hacen las tortillas, que se rellenan con el cazón cocido y picado con la cebolla, el ajo y sal, al gusto. Se cubre la tortilla con su propio pellejo y se fríe en la manteca; se sirven los panuchos, adornados con cebolla picada.

## Codzitos de Yucatán

• • • • • • • •

24 tortillas chicas y delgadas
300 gramos de carne de res maciza
1 jitomate grande
1 cebolla chica
2 dientes de ajo
chile verde al gusto
polvo de pimentón rojo, pimienta en polvo y sal al gusto

En dos cucharadas de manteca se acitronan el ajo, la cebolla y el chile, todo finamente picado. Se añaden el jitomate, el pimentón y el vinagre, sazonándose al gusto, con sal y pimienta. Luego, se agrega la carne deshebrada, y se deja freír lentamente. Cuando se seque, se retira y se pone sobre una orilla de las tortillas calientes; se enrollan lo más apretado posible; se sujetan con palillos y se dejan enfriar bien; se fríen luego en bastante manteca hasta que se doren; se escurren bien y se sirven con la salsa que se desee.

## Pambacitos de mole de Puebla

• • • • • • • •

**1/2 kilo de harina de trigo**
**3 cucharadas de levadura en polvo**
**100 gramos de mantequilla**
**50 gramos de manteca**
**1 huevo**
**2 yemas de huevo**
**1/8 de litro de leche**
**1 cucharada de sal**

*Relleno:*

**300 gramos de lomo de puerco**
**50 gramos de manteca**
**2 chiles pasillas**
**1 chile ancho**
**3 chiles mulatos**
**3 cucharadas de ajonjolí**
**1 cebolla**
**1 tablilla de chocolate**
**25 gramos de pan**
**1/2 tortilla**
**sal al gusto**

Se cierne la harina con la levadura; se le pone la manteca y la mantequilla con la punta de los dedos; cuando se ve la masa como arenosa se agregan el huevo y la leche necesaria para formar una pasta suave, procurando hacerlo todo rápidamente y tocar la masa lo menos posible; se toman porciones de ella, se extiende con el palote en forma ovalada; se unen de dos en dos con el relleno, pegando las orillas con la clara de huevo; se embetunan con las yemas de huevo y se meten al horno caliente.
El relleno se hace friendo en la mitad de la manteca el pan, la tortilla, el ajonjolí y los chiles ligeramente tostados, desvenados y remojados; se muelen, se les añade una cebolla y medio litro del caldo en que se coció la carne. En la manteca se fríe la carne cocida y cortada en cuadritos y se agrega al mole; se sazona con sal y pimienta y se deja hervir hasta que espese.

## Tortas compuestas del Distrito Federal

• • • • • • •

**700 gramos de harina de trigo**
**3 cucharadas de levadura en polvo**
**150 gramos de manteca**
**1 huevo para embetunar**
**1/2 litro de leche**
**1 cucharada de sal**

*Relleno:*

**400 gramos de carnitas de puerco**
**1 latita de chiles en vinagre**
**2 cebollas**
**4 aguacates**
**3 jitomates**
**1 lechuga**
**aceite y vinagre**
**pimienta en polvo y sal al gusto**

Se cierne la harina con la sal y la levadura; con la punta de los dedos se agrega la manteca y cuando la masa se pone arenosa se le mezcla rápidamente la leche necesaria para formar una masa suave que se extiende con un palote dejándola de 2 centímetros. Se cortan las tortitas redondas; se embetunan de yema mezclada con una poca de leche; se dejan reposar por 20 minutos y se cuecen al horno caliente. Ya frías, se rellenan de la manera siguiente:

Las carnitas se cortan en cuadritos; se mezclan con las cebollas rebanadas y el vinagre de los chiles; se dejan reposar durante 3 horas y pasado ese tiempo se mezclan con la lechuga finamente picada, los jitomates y los aguacates rebanados y los chiles picados; se sazona todo con aceite, vinagre, sal y pimienta. Se rellenan con esto las tortas, que se envuelven cada una en un pedazo de papel parafinado.

## Tamales tapatíos de Jalisco

• • • • • • • •

**1 kilo de maíz**
**1 kilo de manteca**
**400 gramos de azúcar**
**hojas de maíz para envolver**
**1 cucharada de levadura en polvo**
**coco, naranjas, guayabas, piña y limón**

Se cuece el maíz en medio litro de agua, quitándole las cabezas y el hollejo; se muele, procurando que quede la masa algo seca y no muy remolida. En un recipiente aparte, se bate la manteca hasta que quede como crema; en seguida se le agrega a la masa, juntamente con la levadura en polvo y el azúcar finamente pulverizado, y se sigue batiendo hasta que la masa esponje. Por separado se rallan el coco, la guayaba, la piña, el limón y la naranja. La masa se reparte en las hojas de maíz, poniendo en cada una de ellas un poco de la fruta rallada, de una sola clase, para hacer tamales de distintos sabores. Se envuelven bien y se cuecen en un bote de lámina tapado, con un poco de agua en el fondo, para que el cocimiento se haga a vapor.

## Tamales de Jalisco

• • • • • • •

**1 kilo de maíz**
**1 kilo de manteca**
**400 gramos de azúcar**
**1 cucharadita de levadura en polvo**
**1 piña chica**
**1 limón**
**2 naranjas**
**2 guayabas**
**100 gramos de coco rallado**
**hojas de maíz**
**sal al gusto**

Se cuece el maíz, se le quita el hollejo y la cabeza; se muele procurando que la masa quede algo seca y no muy molida. En un recipiente aparte se bate la manteca hasta que quede como crema y se incorpora a la masa; se le añade la levadura y el azúcar finamente pulverizada y se sigue batiendo hasta que la masa esponje.
Separadamente se rallan las frutas y se mezclan con el coco rallado; con esto se rellenan los tamales, que se hacen poniendo pequeñas porciones de masa en las hojas de maíz; se envuelven y se cuecen a vapor, en una olla con poca agua y bien tapada, como se hacen siempre los tamales ordinarios.

## Ungui de Hidalgo

• • • • • • •

**2 kilos de maíz**
**250 gramos de piloncillo**
**canela y anís en polvo**
**suficientes hojas de maíz**

Para hacer estos tamales otomíes, se muele el maíz en seco, como si se fuera a hacer pinole; se le agrega el piloncillo hecho miel; se mezcla bien para que quede una masa no muy sólida, agregándole el polvo de canela y anís al gusto. Con la masa se hacen los tamales en las hojas de maíz, que se ponen a cocer a vapor como se hace con los tamales cernidos.

## Tamales de Juacane de Chiapas

• • • • • • •

**1/4 de kilo de pepitas de calabaza**
**1 kilo de frijoles cocidos**
**1 kilo de masa de maíz**
**1/4 de kilo de cabezas de camarón**
**1/4 de kilo de manteca**
**2 manojos de hojas de maíz**
**30 hojas de Santa María**
**3 chiles picantes**
**3 tomates verdes**
**sal al gusto**

Se tuestan en un comal las cabezas de camarón y las pepitas de la calabaza y se muelen juntas con el chile. Los frijoles se muelen y se fríen; la masa se revuelve bien con la manteca y la sal. Las hojas de Santa María se lavan muy bien y a cada una se le pone una tortilla hecha de la masa; luego se le pone una capa de frijoles y otra de pepitas, con el camarón y el chile. Se enrollan y se aplastan un poco, de modo que al cocerlas no se desbaraten. Se ponen a cocer en una olla, envueltas en hojas de maíz.

## Tamales de Tlaxcala

• • • • • • •

**1/4 de kilo de maíz cacahuazintle**
**2 cucharadas de cal**
**240 gramos de manteca**
**2 tazas de caldo de pollo**
**1/2 kilo de queso panela**
**1/4 de kilo de chiles cuaresmeños**
**1/2 taza de agua de tomate**
**1/2 kilo de jitomate**
**50 gramos de epazote**
**2 manojos de hojas de maíz**
**sal al gusto**

Se pone a cocer el maíz con 2 litros de agua y la cal; cuando empieza a hervir se deja 10 minutos más; una vez que está frío, se lava éste y se talla muy bien hasta que esté blanco; colocándolo sobre una servilleta; se deja al sereno toda la noche. Al otro día se muele y se pone a secar al sol, durante unas 2 horas y luego se cierne para quitarle la cabeza y el hollejo.
Se bate la manteca y cuando esponja se le pone la harina de maíz, el cocimiento de hojas de tomate, sal y caldo suficiente para formar una masa de regular consistencia; se bate hasta que poniendo un poco de masa en agua, ésta flote.

Las hojas se remojan, se escurren muy bien y en cada una se pone una cucharada de masa, dos tiritas de chile asado y desvenado, dos hojas de epazote, dos rebanadas de queso y una cucharada de salsa de jitomate. Se doblan y se colocan en una olla a que se cuezan a vapor, durante una hora. Para hacer la salsa de jitomate se asa éste, se muele, se cuela y se sazona con sal, dejándolo al fuego hasta que espese.

## Tamales de elote de Michoacán

• • • • • • •

| | |
|---|---|
| **24 elotes** | **3 cucharadas de azúcar** |
| **2 cucharadas de levadura en polvo** | **350 gramos de mantequilla** |
| | **1 cucharadita de sal** |

*Salsa:*

| | |
|---|---|
| **450 gramos de carne de cerdo** | **450 gramos de jitomate** |
| | **120 gramos de manteca** |
| **6 chiles poblanos** | **3 dientes de ajo y sal al gusto** |

Se deshojan los elotes, guardando las hojas enteras; se rebanan y se muelen muy bien, revolviéndoles el azúcar, la mantequilla, la sal y la levadura. Se incorpora todo y se va poniendo una cucharada de esta masa en cada hoja de elote, envolviéndola; en una olla, se ponen a cocer los tamales a vapor. Una vez cocidos se sirven bien calientes, poniéndoles salsa encima.

Para hacer la salsa, primero se pone la carne a cocer en pequeños trocitos, con un diente de ajo y sal, al gusto. Cuando está bien cocida y se ha consumido el agua se le pone un trozo de manteca y se dora; luego se le agregan los chiles asados, pelados y deshebrados y el jitomate asado y molido junto con el ajo; se sazona y se deja hervir un rato.

## Tamales yucatecos

• • • • • • •

**2 kilos de masa para tortillas**
**50 gramos de manteca**
**1 pastilla de achiote**
**10 hojas de plátano**
**sal al gusto**

*Relleno:*

**1/2 kilo de carne de puerco, molida**
**1/4 de kilo de jitomate**
**150 gramos de manteca**
**1 cabeza de ajo**
**6 pimientos de Castilla**
**1/4 de cucharadita de cominos**
**1/2 cucharadita de orégano**
**3 pimientas de Tabasco**
**1 rama de epazote**
**sal al gusto**

La masa se revuelve con la manteca, un poco de sal y achiote, que le da un color rosado; se amasa bien y se pone un poco de ella en cada hoja de plátano, las que se habrán hervido un poco y cortado en cuadrados de 20 centímetros por lado. Se pone la bola de masa en el centro de cada hoja y se extiende con los dedos para formar una tortilla; se le agrega una cucharada de la carne con su salsa; se doblan bien y se cuecen a vapor.

Para hacer el relleno se pone a cocer la carne; se muelen los pimientos, cominos, ajo y orégano; se le agrega la carne con un poco de caldo, con el epazote y un poco de sal; ya que está a medio cocer se le agrega el jitomate molido. Para que el caldo de la carne espese un poco, se le añade masa deshecha en agua; ya que la carne está cocida y bien sazonada, se retira del fuego.

## Tamales de rajas de Zacatecas

• • • • • • • •

**1 kilo de masa para tamales**
**400 gramos de manteca**
**400 gramos de queso de bola**
**1/8 de litro de cocimiento de tequezquite**
**1/4 de litro de crema**
**1/4 de litro de leche**
**50 gramos de mantequilla**
**1 kilo de jitomate**
**8 chiles poblanos**
**2 cebollas**
**2 manojos de hojas de maíz**
**sal al gusto**

Se bate la manteca y cuando está bien esponjada se agrega a la masa de maíz con el cocimiento de tequezquite, la sal, la crema y la leche necesaria para formar una masa de punto de tamal. En la parte inferior de las hojas se extiende una cucharada de esa masa y sobre ella se pone un poco de relleno, que se prepara como sigue:

En la mantequilla se fríe la cebolla rebanada; se agregan los chiles asados, desvenados y cortados en tiras y el jitomate asado, molido y colado; se sazona con sal y se deja hervir hasta que espese. Los tamales se cuecen a vapor, como se ha indicado en recetas anteriores.

## Tamal de cazuela de Veracruz

• • • • • • • •

**2 kilos de masa de maíz**
**1 kilo de carne de cerdo**
**150 gramos de manteca**
**6 chiles anchos**
**6 chiles pasillas**
**6 chiles mulatos**
**8 jitomates**
**epazote y sal al gusto**

La masa se deslíe un poco en el caldo en que se coció la carne de cerdo; se le agrega suficiente sal y la manteca, batiendo un poco para que se incorpore bien; se pone a cocer, cuidando de menearla para que no se pegue; estará cocida, cuando al introducirle un popote, éste salga limpio; entonces se retira del fuego.

Por separado se hace el mole; los chiles se desvenan, tuestan y muelen; se fríen en manteca; los jitomates molidos se mezclan con los chiles, dejando que se frían otro poco juntos; se les agrega la carne en trocitos y un poco de caldo.

Se unta con mucha manteca una cazuela alta; se le pone una capa de masa, otra de carne y mole, y así alternando las capas hasta concluir, procurando que la última sea de masa y dejando un poco de mole sin carne para ponerlo encima. Se cuece a dos fuegos o en horno, teniendo cuidado de introducir en el tamal un popote, y cuando éste salga limpio ya se habrá cocido. Se aparta del fuego y se deja reposar.

Este tamal puede hacerse también de pescado en lugar de carne de puerco, teniendo cuidado de preparar el pescado, lavándolo, enjuagándolo y secándolo bien; se sacan las tajadas y se asan en parrilla; estando sancochadas se ponen en el chile o mole, alternando las capas de masa y de pescado.

## Tamal de cazuela de Puebla

• • • • • • •

**750 gramos de masa para tamales**
**15 gramos de cáscara de tomate**
**425 gramos de manteca**
**1/2 cucharadita de levadura en polvo**
**1/4 litro de caldo de lomo**

*Relleno:*

**350 gramos de lomo de puerco**
**1/2 litro de caldo de lomo**
**100 gramos de manteca**
**1 tablilla de chocolate**
**1/2 pieza de pan de telera**
**2 tortillas**
**3 chiles anchos**
**3 chiles pasillas**
**2 chiles mulatos**
**200 gramos de jitomate**
**10 gramos de tomate verde**
**1 cucharada de semillas de chile**
**50 gramos de cacahuates**
**2 cucharadas de ajonjolí**
**4 clavos de especia**
**4 pimientas grandes**
**1 raja de canela**
**1/16 de litro de vinagre**
**sal y azúcar al gusto**

Se bate la manteca hasta que haga ojos; se agregan la masa, media taza del cocimiento de cáscara de tomate, una taza de caldo, la sal y el polvo de levadura, y se bate todo hasta que un trocito de masa flote en el agua. Se unta una cazuela con manteca; se le pone una capa de masa, otra de relleno y otra de masa y se mete al horno regular durante una hora. Se sirve en la misma cazuela, adornándolo con una servilleta de papel sostenida con un hilo dorado.

El relleno se hace desvenando los chiles y friéndolos ligeramente; se muelen junto con el pan y las tortillas doradas en manteca, los cacahuates, la canela y las semillas de chile y el ajonjolí también dorados; el jitomate y el tomate crudos. Todo se muele caliente y sin agregarle agua; se le añaden las especias molidas, y todo se fríe en la manteca, poniéndole, cuando empiece a hervir, el chocolate, un poco de azúcar y sal, el caldo restante, la carne cocida y deshebrada y se deja hervir hasta que esté más o menos espesa. Al retirarse del fuego se le agrega el vinagre.

## Mole verde de Oaxaca

● ● ● ● ● ● ●

1/2 kilo de espinazo de puerco
6 chiles verdes
50 gramos de tomate verde
50 gramos de tomate de cáscara
2 dientes de ajo
2 hojas de hierba santa
1 rama de epazote
1 rama de perejil
sal al gusto

Se muelen el chile, el tomate verde, el de cáscara y el ajo; se ponen a la lumbre, con manteca, y se fríen; cuando ya están bien fritos se les vierte el caldo con la carne, previamente cocida en agua con sal, y se espesa con masa, dejándolo reposar por unos minutos. Aparte se muelen la hierba santa, el epazote y el perejil, y se agregan al mole, momentos antes de llevarlo a la mesa.

## Mole de olla de Morelos

● ● ● ● ● ● ●

1/2 kilo de carne de cerdo
1/2 kilo de carne de carnero
1/2 kilo de carne de ternera
1/2 kilo de cecina de res
12 chiles anchos
12 chiles pasillas
12 chiles mulatos
2 tomates grandes, rojos
4 dientes de ajo
1 rama de epazote
xoconoxtle, pan molido o masa de maíz y sal al gusto

Las carnes se ponen a cocer con agua y sal, al gusto, en la misma olla. Por separado se tuestan, remojan y muelen los chiles, sin desvenar y con sus semillas, junto con los jitomates, el ajo, y el pan remojado o la masa de maíz, para darle consistencia al caldillo. Todo molido se vierte en la olla donde se están cociendo las carnes, y por último se les agrega el xoconoxtle y el epazote, para que se sazone. Se quita de la lumbre y se sirve caliente.

## Mole tapatío de Jalisco

● ● ● ● ● ● ●

**1 kilo de carne de puerco**
**6 chiles pasillas**
**6 chiles anchos**
**100 gramos de cacahuates**
**2 clavos de olor**
**1 raja de canela y sal al gusto**

Se cuecen un poco los chiles y se desvenan, separando las semillas, que se ponen a secar. Las pepitas de los chiles, una vez secas, se tuestan, se muelen con el clavo, la canela y los cacahuates. Se pone esto a freír; se le agregan los chiles, ya tostados y molidos, añadiendo agua caliente y sal, para formar el mole algo espeso; se le mezcla la carne cocida y cortada en trozos, y se deja hervir de nuevo, agregándole el caldo de ésta si es necesario, pero, procurando que el guiso no quede aguado. Se sirve caliente.

## Mole de tasajo de Veracruz

● ● ● ● ● ● ●

**160 gramos de masa de maíz**
**1 kilo de tasajo**
**130 gramos de manteca**
**8 chiles anchos**
**2 plátanos**
**4 dientes de ajo**
**1 rama de epazote**
**sal al gusto**

Se pone el tasajo a cocer y cuando está suave se retira y se corta en pedacitos. Los chiles se tuestan y se muelen con los ajos asados; luego se fríen en dos cucharadas de manteca y cuando empiezan a espesar se les agrega un litro del caldo de tasajo, la carne y el epazote. Cuando ha hervido un poco, se le agregan los plátanos rebanados y fritos y las bolitas de masa, hasta que estén bien cocidas; se deja todo al fuego, para que espese.

## Mole de frutas de Chiapas

• • • • • • •

**3/4 de kilo de lomo cocido de puerco**
**1 litro del caldo de lomo**
**1 1/2 cucharadas de manteca**
**100 gramos de chile colorado ancho**
**15 gramos de pan blanco**
**1 cebolla**
**1 lechuga**
**1 manojo de rábanos**
**2 clavos de especias**
**1 raja de canela**
**100 gramos de uvas**
**4 naranjas**
**1 plátano chico**
**1 perón**
**1 rebanada de piña**
**sal al gusto**

Se fríe el lomo en trozos y estando dorado se le agrega el caldo y la sal; cuando se consume un poco se le agregan los chiles asados y desvenados, mezclándolos con el jugo de 2 naranjas; cuando se reseca se le pone el pan frito, molido con cebolla, piña, plátano, perón, uvas, clavos y canela, agregando otro medio litro de caldo. Se sazona con sal y pimienta y se sirve en hojas de lechuga, adornándolo con rebanadas de naranja y flores de rábano.

## Pollo en pipián de Tlaxcala

• • • • • • •

**1 pollo cocido y partido en piezas**
**250 gramos de tomate verde**
**1 taza del caldo en que se coció el pollo**
**6 dientes de ajo**
**250 gramos de cacahuates tostados**
**3 chiles anchos**
**1 cebolla**
**las pepitas de los chiles, vinagre y sal al gusto**

Se cuecen los tomates verdes con agua y sal; se muelen con los cacahuates tostados y pelados, los dientes de ajo tostados, los chiles anchos tostados, desvenados y remojados en vinagre, las pepitas de los chiles tostadas y la cebolla asada.

Todo bien molido y mezclado se fríe en manteca muy caliente; se deja hasta que esté bien refrito y entonces se agrega el pollo, la taza de caldo y un poco de sal. Se deja hervir hasta que espese y quede sazonado.

## Pozole tapatío de Jalisco

• • • • • • • •

**1 1/4 kilo de maíz cacahuazintle**
**1 kilo de pulpa de cerdo**
**125 gramos de lonja**
**1 cebolla grande**
**2 cabezas de ajo chicas**
**125 gramos de chile ancho**
**25 gramos de maicena**
**1/2 taza de agua**
**cal para el nistamal, la necesaria**
**lechugas, rábanos, limón, tortillas fritas**
**sal al gusto**

Se pone el nistamal con agua y cal. Cuando el maíz está amarillo, se talla muy bien y se le quitan las cabecitas. La víspera se pone a cocer, con la cebolla y los ajos. Al otro día, se vuelve a cocer, y ya que está reventado como flor y muy suave se le pone la lonja, la carne y sal. El chile se remoja en agua caliente, se muele y se le añade al pozole junto con la maicena, diluida en media taza de agua y se deja sazonar.
Se sirve en platos hondos y aparte se prepara una ensalada con lechuga rebanada, cebolla picada, rueditas de rábano y trozos de tortilla frita, para acompañarlo.

## Pozole de Colima

• • • • • • •

**1/4 de kilo de maíz cacahuazintle**
**3 cucharadas de cal**
**1/4 kilo de cabeza de cerdo**
**150 gramos de espinazo de cerdo**
**200 gramos de retazo macizo de cerdo**
**1 patita de cerdo**
**1 cabeza de ajo**
**2 cebollas grandes**
**1 lechuga**
**3 limones**
**1 manojo de rábanos chicos**
**salsa picante**
**sal al gusto**

Se lava el maíz, se le agregan la cal y dos litros de agua; se pone al fuego y cuando ya se pueda despellejar se restriega y se lava muy bien; se descabeza y se pone a cocer a fuego fuerte, con bastante agua y los ajos pelados. Cuando se ve que el maíz está reventado, se agregan las carnes, en trocitos; cuando éstas están cocidas, se les añade sal y se dejan dar unos hervores; si se necesita, se le agrega durante el cocimiento, agua caliente. Se deja hervir hasta que esté muy suave; al servirse en los platos se añade lechuga finamente picada, cebolla también picada, rebanadas de limón, de rábano y salsa picante.

## Chiles rellenos de Puebla

• • • • • • •

**10 chiles poblanos verdes**
**6 huevos**
**1 jitomate grande**
**1 cebolla grande**
**4 dientes de ajo**
**1 rama de perejil**
**1/2 taza de harina**
**pimienta y clavo molidos**
**sal al gusto**

Se asan los chiles, se despellejan y desvenan; se rellenan con huevo revuelto, en lugar de picadillo; se cubren con harina, se rebozan con huevo batido y se fríen. Se dispone un caldillo, asando el jitomate y moliéndolo, agregándole los dientes de ajo y el perejil picados; se le vierte agua y se pone a hervir hasta que la salsa se cueza bien; se le agrega la cebolla partida en rajas, las especias molidas y la sal necesaria. Se ponen en este caldillo los chiles ya rellenos y fritos, y se deja hervir, hasta que espese bastante.

## Chiles rellenos de Hidalgo

• • • • • • • •

**9 chiles poblanos**
**3 patitas de puerco**
**115 gramos de jamón**
**1 huevo cocido**
**2 aguacates**
**115 gramos de lengua cocida**
**vinagre y pimienta**
**sal al gusto**

*Salsa:*

**1/4 de litro de crema**
**3 chiles poblanos**
**1 lechuga romanita**
**2 manojos de rábanos chicos**
**sal al gusto**

Los chiles se asan, se desvenan y se les quitan las semillas; se ponen en la lumbre con una taza de agua, para que den un hervor con vinagre, sal y pimienta.

Ya fríos se rellenan con las patitas y la lengua cocidas y picadas, mezcladas con el jamón y el huevo cocidos y picados y los aguacates. Se acomodan en el platón y se bañan con la salsa hecha con los chiles molidos con la crema y sazonados con la sal y pimienta. Se adorna el platón con las hojas de lechuga y flores de rábano.

## Chiles rellenos de Durango

• • • • • • • •

**10 chiles poblanos**
**1 taza de frijoles cocidos**
**50 gramos de queso añejo rallado**
**6 aguacates**
**2 cucharadas de cebolla finamente picada**
**1 lechuga**
**1 manojo de rabanitos**
**1/4 de litro de vinagre**
**4 cucharadas de aceite**
**pimienta en polvo y sal al gusto**

Los chiles se asan y se ponen en un lienzo un poco húmedo, por espacio de 2 horas. Se desvenan y se lavan varias veces en agua caliente. Se dejan remojar bastante tiempo en vinagre y después se escurren. Los frijoles, ya molidos, se refríen, hasta que queden secos; con ellos se rellenan los chiles; se acomodan en un platón, bañándolos con la siguiente salsa:

Se mondan los aguacates y se trituran con un tenedor; se les agrega la cebolla picada, aceite, vinagre, sal y pimienta; si la pasta queda muy espesa, se le puede agregar una poca de agua. Se cubren los chiles con la salsa y después se espolvorean con queso añejo; se adorna el platón con los rabanitos y las hojas de lechuga.

## Chiles rellenos de Baja California

• • • • • • • •

**2 latas de pimientos morrones**
**1 lata de atún**
**100 gramos de aceitunas**
**50 gramos de alcaparras**
**2 huevos cocidos**
**2 cucharadas de salsa de jitomate catsup**
**2 naranjas**
**mostaza, pimienta y sal**

El atún se desmenuza; se mezcla con 4 cucharadas de crema, los huevos cocidos y picados y la mitad de las aceitunas y alcaparras picadas; se sazona con sal y pimienta y 2 cucharadas de jugo de los pimientos. Con esta pasta se rellenan los pimientos morrones y se colocan en un platón; se bañan con la salsa, se adornan con las aceitunas y alcaparras restantes y rebanadas de naranja. La salsa se hace batiendo la crema hasta que espese; se agrega la salsa catsup y se sazona con mostaza, sal y pimienta en polvo.

## Rajas de requesón del Distrito Federal

• • • • • • •

**10 chiles poblanos**
**1/4 de kilo de requesón**
**2 tazas de pulque**
**1 cucharada de manteca**
**2 cebollas**
**1 rama de epazote**
**sal al gusto**

En la manteca se fríen las cebollas rebanadas, los chiles desvenados, asados y cortados en rajas. Cuando todo está bien frito, se le agrega el pulque, el epazote, sal y pimienta, se tapa el recipiente y se deja hervir a fuego lento. Cuando espesa, se le añade el requesón; se deja hervir para que sazone y se sirve.

## Fritada a la mexicana de Coahuila

• • • • • • •

**6 chiles anchos**
**6 dientes de ajo**
**3 jitomates de tamaño regular**
**1 cebolla**
**50 gramos de alcaparras**
**50 gramos de aceitunas**
**50 gramos de almendras**
**3 cucharadas de vinagre**
**1 taza de caldo de pollo**
**1 pollo**
**3 chorizos**
**orégano y sal al gusto**

Se muelen los chiles, desvenados y remojados desde la víspera, con los dientes de ajo, la cebolla y los jitomates. Se fríe todo en manteca y cuando está frito, se agregan las alcaparras, las aceitunas, las almendras peladas y cortadas en tiritas, el vinagre y el caldo. Se desmenuza el pollo y se añade a la salsa, junto con los chorizos desmenuzados, y se deja a fuego suave hasta que se consuma el caldo. Para servirse se espolvorea con el orégano.

## Chile con natas de Tlaxcala

• • • • • • • •

| | |
|---|---|
| **10 chiles poblanos verdes** | **1/2 taza de jocoque** |
| **1 queso fresco** | **lechuga** |
| **1 taza de natas** | **sal y epazote al gusto** |

Se tuestan los chiles, se les quita el pellejo y se desvenan; se rellenan con el queso y el epazote. Se pone una cazuela al fuego, untada con bastante nata, en la que se extienden los chiles por capas alternadas con el jocoque. Se pone a la lumbre, a dos fuegos, o al horno. Se sirven los chiles adornados con hojas de lechuga tierna.

## Chipotles en escabeche de México

• • • • • • • •

| | |
|---|---|
| **12 chiles chipotles grandes** | **hojas de naranjo enteras** |
| **laurel, tomillo, clavo y canela desmenuzados** | **aceite de oliva, vinagre y sal al gusto** |

Se ponen los chiles en una olla con agua para que den un ligero hervor; se sacan y se desvenan; se lavan muy bien y se ponen a escurrir, y luego que estén secos se fríen en aceite. Se tiene preparada otra olla con vinagre, sal, laurel, tomillo, clavo y canela y las hojas de naranjo enteras, y se agregan los chipotles. Se tapan y se dejan reposar 3 ó 4 días, hasta que se curtan bien, y entonces se les pone el aceite necesario.

## Pavo al horno a la tehuantepecana

• • • • • • • •

**1 pavo grande**
**1 kilo de papas**
**100 gramos de jamón crudo**
**100 gramos de manteca de cerdo**
**100 gramos de mantequilla**
**1 huevo**
**1 frasquito de aceitunas**
**2 cucharadas de mostaza**
**1 cucharadita de nuez moscada rallada**
**2 cucharadas de perejil picado**
**1 cebolla grande picada**
**3 dientes de ajo picados**
**pimienta molida y sal al gusto**

*Salsa:*

**4 jitomates grandes**
**4 dientes de ajo**
**4 chiles anchos**
**2 cucharadas de azúcar**
**1 cucharadita de orégano**
**sal al gusto**

Se limpia muy bien el pavo y se pica con un tenedor por fuera y por dentro, poniéndole sal y pimienta. Se cuecen las papas y se cortan en pedazos chicos; se bate el huevo y se pone encima, con la mantequilla derretida, la cebolla picada, las aceitunas, el jamón en trocitos, el perejil picado, la mostaza, el ajo y la sal, al gusto. Se mezcla todo y con esto se rellena el pavo.

Se mete al horno en una cacerola o platón refractario, con 3 tazas de agua con sal y se pone a fuego lento, volteándose con frecuencia para que se cueza parejo. Cuando se está consumiendo el agua, se baña dos o tres veces el pavo con la manteca de cerdo; se sirve con salsa.

Esta se hace tostando los chiles y ya desvenados se ponen a remojar en agua caliente; se muelen con los ajos, los jitomates y el orégano, y después se fríe todo, sazonándola con sal y azúcar. Se sirve el pavo en piezas, poniendo el relleno y la salsa, a un lado; se rocía con vino tinto.

## Clemole de Guerrero

• • • • • • • •

**1 gallina**
**1 cebolla grande**
**2 dientes de ajo**
**1/4 de kilo de ejotes tiernos**
**1/4 de kilo de calabacitas tiernas**
**1/4 de kilo de elotes tiernos**
**1/4 de kilo de chile ancho**
**10 chiles cascabeles**
**10 pimientas delgadas**
**4 clavos de olor**
**manteca de cerdo**
**sal al gusto**

En una olla de barro se pone a cocer, con suficiente agua, la gallina partida en raciones (algunos prefieren hacer este platillo con cecina cortada en trozos), agregándole media cebolla partida en cruz, un diente de ajo machacado, sal al gusto, y dentro de un costalito o muñequita de trapo, las pimientas y los clavos.

Una vez cocida la gallina o la cecina se le agregan los ejotes, las calabacitas y los elotes partidos en trozos, procurando que no se deshagan al cocerse. Por separado, se prepara la salsa: se asan los chiles anchos y cascabeles; se remojan después en agua bien caliente y se muelen con un diente de ajo, pimienta y clavo; se fríen en una sartén con un poco de manteca y unas rebanaditas de cebolla.

Ya bien frita la salsa, se le agrega el contenido de la olla y se deja sazonar todo, procurando que no se deshagan los ejotes y las calabacitas y que el caldo no quede muy espeso.

## Pollo en huerto de Querétaro

● ● ● ● ● ● ●

**1 pollo**
**3 dientes de ajo**
**2 cebollas chicas**
**2 jitomates chicos**
**5 gramos de pimienta**
**2 clavos de olor**
**1 raja de canela**
**1 rebanada de pan blanco**
**2 peras**
**2 manzanas**
**2 duraznos**
**2 calabacitas**
**1 cucharada de azúcar granulada**
**4 cucharadas de vino blanco**
**algunos ejotes y sal al gusto**

Se corta el pollo en raciones y se pone a cocer con la sal, los dientes de ajo y una de las cebollas desmenuzadas; se espuma para limpiar el caldo. En una cazuela aparte, se fríen, la otra cebolla y los jitomates, ambos rebanados. Se muelen la pimienta, los clavos, la canela y la rebanada de pan, todo lo cual se agrega a la cebolla y los jitomates fritos, añadiéndole después, las piezas de pollo cocidas.
Se ponen las frutas, las calabacitas rebanadas, los ejotes, un poco de caldo en que se coció el pollo, y por último se le vierte el vino y el azúcar, y se deja hervir todo, hasta que la fruta se haya cocido, quedándole suficiente caldo. Esto se agrega al platillo anterior, al servirlo.

## Gallina rellena de Puebla

• • • • • • • •

**1 gallina grande**
**4 dientes de ajo**
**2 cebollas chicas**
**2 jitomates grandes**
**4 chiles verdes**
**2 huevos**
**100 gramos de jamón**
**100 gramos de longaniza**
**100 gramos de choricitos**
**100 gramos de lomo de puerco**
**almendras, pasas y piñones**
**aceitunas, alcaparras, chilitos curados**
**azafrán, clavo, pimienta y canela**
**vino de Málaga**
**sal al gusto**

Después de limpiarla, se pone a cocer la gallina entera en agua con sal. Una vez cocida se saca y se rellena con el siguiente relleno: se fríen en manteca el chile verde, un jitomate, una cebolla y 2 dientes de ajo, todo picado; se le agregan los huevos cocidos, las carnes también picadas, con el hígado y la molleja de la gallina; luego las aceitunas, los chilitos curados, las alcaparras y la mitad de las pasas y almendras, todo picado también, y finalmente el azafrán, y la mitad de los clavos y pimientas molidos, sazonando todo con la sal necesaria. Se deja cocer perfectamente.

Ya rellena la gallina, se fríe en manteca, de la que se apartará cuando se haya dorado, cuidando de haber puesto, en el mismo recipiente, para que se fríari también, los otros dientes de ajo y el jitomate asado y molido; se añaden luego las pasas y almendras que quedaron, con los piñones, más el clavo, la pimienta y la canela molidos. Se pone allí la gallina, que se cubre con su caldo y el vino de Málaga, y se deja hervir todo hasta que el caldo quede bien sazonado y de buena consistencia. Se sirve entera la gallina, nadando en su salsa, y al partirla para servir porciones en los platos, éstas se cubren con la salsa.

## Pollo en tomate de México

• • • • • • •

**1 pollo grande**
**2 jitomates**
**1 cabeza de ajo chica**
**1 chorizo rebanado**
**1 betabel cocido**
**1 vaso de vino blanco**
**1 rama de perejil**
**pan frito molido**
**canela, clavo y pimienta molidos**
**pasas y almendras**

Se fríen en manteca quemada unos dientes de ajo picados, y se les agregan luego los jitomates cocidos y molidos con clavo, pimienta y canela, al gusto. Se ponen en esa fritura las piezas del pollo cocido, con su caldo, el chorizo rebanado, pasas y almendras, el betabel cocido y picado con perejil, el pan frito y molido y el vino blanco. Se deja hervir todo, cuidando de que no quede muy claro el caldillo. Se sirve caliente.

## Gallina en salsa de nuez de Querétaro

• • • • • • •

**1 gallina grande**
**1 jitomate grande**
**1 cebolla chica**
**4 dientes de ajo**
**1 ramo de cilantro**
**10 nueces**
**un poco de vinagre y azúcar**
**nuez moscada y sal al gusto**

Se fríen en manteca el jitomate y los dientes de ajo previamente asados, con rebanadas de cebolla, y se muele todo; se sazonan con sal y raspadura de nuez moscada. Se agregan las piezas de la gallina ya cocidas; se le ponen las nueces y el cilantro tostados y molidos, un poco de vinagre y una pizca de azúcar. Estando todo bien sazonado, se sirve, bañando cada porción con más salsa.

## Pollo con arroz estilo criollo

• • • • • • •

**1 pollo grande**
**1/4 de kilo de arroz**
**15 cebollitas cabezonas**
**10 chilitos picantes**
**2 clavos de olor**
**un poco de azafrán**
**un ramito de hierbas de olor**
**mantequilla y sal al gusto**

Se corta el pollo cocido. Se fríen en mantequilla las piezas, sazonándolas con las hierbas de olor, los clavos, los chilitos picantes y el azafrán, todo molido. Se pone un poco de caldo en que se coció el pollo y las cebollitas cabezonas, las que previamente se limpiaron y cortaron, quitándoles las extremidades y el corazón, y que se frieron aparte hasta dorarse. Todo se pone a cocer en una olla, haciéndolo hervir a fuego fuerte.

Se lava el arroz en 6 aguas, a fin de que quede bien limpio; se pone a hervir y se tira la primera agua en que se hirvió y se deja cocer en otra agua, de modo que se quiebre mucho. Se sirve el pollo en un plato y en otro el arroz, cuidando de que el caldillo que acompaña al pollo no esté muy espeso. Se come el pollo usando el arroz a manera de pan, para acompañarlo.

## Gallina almendrada de Oaxaca

• • • • • • •

**1 gallina grande**
**5 jitomates chicos**
**2 cebollas chicas**
**4 dientes de ajo**
**100 gramos de almendras peladas**
**1 pedazo de pan frito**
**canela, pimienta y clavo**
**aceitunas y chilitos en vinagre**
**sal al gusto**

Se cuece la gallina con sal. Aparte se muelen y se fríen los ingredientes para el recaudo; jitomates, cebollas, ajos, almendras, pan y especias. Se le agrega el caldo en que se coció la gallina, dejando que espese. Se saca y con esta salsa se cubren las piezas de la gallina al servirse, adornándolas con las aceitunas y los chilitos.

## Pollo en chirmole de Tabasco

• • • • • • •

**1 pollo**
**50 gramos de pepitas de calabaza**
**4 chiles anchos**
**4 pimientas**
**1 rama de epazote**
**4 tortillas de maíz**
**3 cucharadas de manteca**
**1 cebolla**
**sal al gusto**

Se fríe el pollo en crudo y después se pone a cocer en agua con sal. Las tortillas se tuestan hasta que estén casi quemadas y se muelen con los chiles asados y desvenados, las pepitas tostadas, la cebolla y las pimientas. Se fríe todo en manteca y estando bien frito se le agrega el pollo cocido y 2 tazas de caldo del mismo; se deja hervir a fuego lento hasta que espese un poco.

## Pollo capeado jalapeño

• • • • • • •

**1 pollo tierno y gordo**
**1/4 de kilo de picadillo de res**
**2 huevos batidos**
**1 jitomate**
**1 cebolla**
**2 dientes de ajo**
**1/2 cucharadita de orégano**
**50 gramos de almendras**
**50 gramos de pasas**
**50 gramos de alcaparras**
**1 ramita de perejil**
**1 plátano macho**
**hierbas de olor, pimienta y sal al gusto**

El pollo bien limpio se rellena de picadillo y se pone a cocer, con un poco de agua y sal; una vez que esté suave la carne, se baña el pollo con el huevo batido y se fríe en suficiente manteca. Se hace por separado una salsa de jitomate molido, cebolla y ajo picados, hierbas de olor y orégano seco; todo esto se fríe y se le agregan almendras fritas molidas, pasas, alcaparras y el perejil; se le puede poner un poco de vino de Jerez para mejorarlo. Se coloca el pollo en una sartén y se cubre con la salsa, dejándolo que dé unos cuantos hervores.
Para preparar el picadillo se fríe ajo, cebolla y jitomate picados y cuando estén bien fritos, se les agrega la carne, cocida y picada finamente, con pasas, almendras, plátano macho y alcaparras, todo bien frito; se sazona con perejil, hierbas de olor, sal y pimienta molida.

## Pato en pipián de Hidalgo

• • • • • • • •

| | |
|---|---|
| **2 patos** | **10 chiles anchos** |
| **300 gramos de pepita de calabaza** | **1 cabeza de ajo** |
| | **5 clavos de especias** |
| **120 gramos de semillas de chile ancho** | **1 raja de canela** |
| | **160 gramos de manteca** |
| **100 gramos de ajonjolí** | **sal al gusto** |

Los patos se limpian muy bien, quemándoles la glándula de grasa de la rabadilla y debajo de las alas con un fierro al rojo vivo; se les da una ligera pasada sobre las llamas para quemarles la pluma fina que les queda después de pelados; se racionan y se ponen a cocer en dos litros de agua.

En 4 cucharadas de manteca se doran las pepitas, poniendo cuidado de que no se quemen (para saber cuándo están a punto, se parte una y si está dorada por dentro se retiran del fuego); se escurren y se muelen con todo y cáscara en seco; aparte se muelen el ajonjolí y las semillas de chile que se habrán tostado en un comal junto con los clavos, canela y ajos asados.

Los chiles se tuestan ligeramente, se desvenan y se remojan en una taza de agua bien caliente. En la manteca restante se fríe la pepita, moviéndola continuamente para que no se pegue; se agregan el ajonjolí, los chiles remojados y molidos con la misma agua, las semillas de los chiles y las especias; se sazonan con sal y cuando empieza a espesar la salsa, se agregan los patos y un litro del caldo en que se cocieron. Se deja hervir a fuego lento, hasta que el caldillo espesa, moviéndolo constantemente y siempre para el mismo lado del recipiente, para que no se corte. Este platillo se sirve inmediatamente y bien caliente.

## Huilotas en nogada de Tlaxcala

• • • • • • •

12 huilotas
6 chiles anchos
2 cebollas
2 dientes de ajo
3 pimientas
2 clavos de especia
1 raja de canela
50 gramos de nueces peladas
50 gramos de cacahuates pelados
15 gramos de pan
2 cucharadas de manteca
3/4 de litro de caldo
pimienta y sal al gusto

En la mitad de la manteca se fríe el pan con los cacahuates y las nueces; todo esto se muele junto con las especias, el ajo, la cebolla y los chiles asados, desvenados y remojados en agua tibia. Esto se pone en el caldo en que se cocieron las huilotas y se fríe en el resto de la manteca. Cuando suelta el hervor, se le agregan las huilotas cocidas, partidas en dos; se sazona con sal y pimienta y se deja hervir hasta que espese el caldillo.

## Pichones empapelados de Sinaloa

• • • • • • •

6 pichones
2 jitomates grandes
1 cebolla grande
2 rebanadas de jamón
1 vaso de vino de Jerez
3 clavos de olor
50 gramos de almendras
5 gramos de cominos
pan molido y pimienta
perejil, tomillo y sal al gusto

El jitomate se fríe con la mitad de la cebolla y el perejil picados, las rebanadas de jamón y una rama de tomillo. Después de frito se le agrega el vino, la pimienta, el clavo y el pan molidos para hacer una pasta fluida, que se deja hervir hasta que espese. Con esa salsa se untan los pichones crudos y ya bien limpios, revolcándolos después en el pan rallado; se envuelven en papel untado de manteca y sal, dejando las patas al descubierto. Se ponen a cocer al horno o a dos fuegos, con la salsa, procurando que sea más fuerte el fuego de arriba. Cuando ya estén cocidos, se les quita el papel y con el fuego de arriba se dejan dorar. Se sirven con la siguiente salsa.

Se tuestan las almendras y se muelen con los hígados de los pichones; se pica la otra mitad de cebolla y se fríe todo, agregándole los cominos, la sal, al gusto, y el agua que sea necesaria para que la salsa quede de buena consistencia.

## Codornices rellenas de Morelos

• • • • • • •

**12 codornices**
**100 gramos de jamón**
**100 gramos de hígado de cabrito o de ternera**
**100 gramos de requesón**
**100 gramos de acelgas**
**1 jitomate grande**
**2 cebollas grandes**
**100 gramos de piñones tostados**
**2 chiles anchos enteros**
**4 huevos**
**orégano, tomillo y perejil al gusto**
**azúcar, vinagre, manteca y aceite**
**pan molido y pan duro para remojar**
**pimienta, clavo, canela y sal al gusto**

Después de desplumadas las codornices, se enjuagan bien y se limpian sus intestinos, quitándoles la hiel y las partes sucias. Se pican estas menudencias con el jamón, el hígado, las acelgas cocidas y el requesón; se les espolvorea sal, pimienta, clavo y canela, todo molido y bien mezclado.
Se pone una cazuela en la lumbre con manteca, en la cual se fríe el jitomate maduro, asado y bien molido; se pone allí el picadillo anterior, agregándole vinagre aguado y un terrón de azúcar o una cucharada. Se deja consumir un poco el caldo.

Mientras tanto, las codornices se habrán cocido en agua con sal; se les rellena con el picadillo, cosiendo bien sus aberturas para que no se salga el relleno. Se ponen en una cazuela con agua que las cubra, y se les agrega sal, los chiles anchos enteros, una cebolla rebanada, un poco de orégano y tomillo y se pondrán a cocer, dejando que el caldo se consuma, hasta que solamente quede la grasa. Se revuelcan en pan rallado y se doran en la grasa de la cazuela, para servirlas con la siguiente salsa.
Se pone en una cazuela una parte de manteca y otra de aceite, y en ello se freirán los piñones tostados, con un poco de perejil, las yemas de los huevos duros, la cebolla picada muy fina, un pedazo de pan remojado en vinagre y sal suficiente. Se le agregará después la grasa en que se frieron las codornices, con un poco de agua, y cuando esté sazonado, se vierte esta salsa sobre las aves y se sirven.

## Chichicuilotes fritos de Jalisco

● ● ● ● ● ● ●

**12 chichicuilotes**
**100 gramos de harina**
**1/2 taza de aceite**
**1 jitomate grande**
**1 cebolla**
**2 dientes de ajo**
**perejil, azafrán y pimienta**
**sal al gusto**

Se limpian los pájaros y se enharinan, friéndose en aceite. Se fríen la cebolla, el jitomate, el ajo, la pimienta, el perejil y el azafrán, y se agrega a las aves, con un poco de agua para que se cuezan. Se deja que todo hierva lo suficiente y se sirven las aves con su salsa.

## Machacado ranchero de Coahuila

• • • • • • •

**250 gramos de carne de res, seca**
**100 gramos de manteca de puerco**
**1 jitomate grande**
**3 chiles verdes**
**1 cucharada grande de harina de trigo**
**1/2 cucharadita de cominos**
**cebolla, ajo y sal al gusto**

Se machaca bien la carne seca, desmenuzándola en pedazos chicos y se pone a freír en la manteca con la cebolla y el ajo en rajas o picados, y la harina. Los chiles verdes se tuestan y se despellejan, cortándolos en tiras largas y agregándoles una salsa hecha con el jitomate molido, todo lo cual se agrega a la carne una vez ya frita en la manteca y se sirve.

## Chocolomo de Yucatán

• • • • • • •

**1 1/4 kilo de pecho y huesos de res**
**1/4 de kilo de hígado**
**1/4 de kilo de sesos**
**1/4 de kilo de riñones**
**1 lengua de res**
**1/2 kilo de jitomate**
**1 cabeza de ajo**
**1 manojo de cilantro**
**manteca de cerdo**
**rabanitos, chiles y naranjas agrias**
**pimienta y orégano**
**sal al gusto**

En suficiente agua se ponen los tomates enteros y se cuecen con sal; cuando estén bien cocidos se sacan y en esa agua se pone a cocer toda la carne, agregándole la pimienta, el ajo, el orégano, el cilantro y un poco de manteca de cerdo. Se le pone sal al gusto y se deja hervir hasta que todo esté bien cocido.
Se sirve la carne en un platón y el caldo en una taza para cada comensal, con una tortilla de maíz tostada y desmenuzada. Aparte se sirve la ensalada, compuesta de rabanitos picados, chiles picados y mojados con naranjas agrias y las hojas de cilantro. Los jitomates ya cocidos se preparan en chiltomate, desmenuzados y con un poco de sal; y se sirven aparte para que cada quien tome la cantidad que desee.

## Chanfaina adobada de Guerrero

• • • • • • •

**1 kilo de bofe e hígado de res**
**1/4 de kilo de jamón**
**1/4 de kilo de longaniza**
**1/4 kilo de choricitos**
**2 chiles anchos**
**2 dientes de ajo**
**cominos, pimienta y clavos**
**pan remojado en vinagre**
**pasas, almendras, aceite y tornachiles**
**sal al gusto**

Desvenados y remojados los chiles anchos, se muelen con los dientes de ajo, las especias y el pan remojado en vinagre; se fríe todo en suficiente manteca con sal. Cuando ya esté frita esta salsa, se mezclan en ella las carnes ya cocidas, sin su caldo, y cuando se frían se les agregan las pasas y almendras, con un poco de vinagre y el caldo de las carnes. Se pone todo a cocer a dos fuegos, hasta que se consuma el caldo; se aparta entonces de la lumbre y se le añade aceite de comer y los tornachiles en cuartos. Se sirve caliente.

## Cabeza de res a la olla de Durango

• • • • • • •

**1 cabeza de res**
**3 chiles serranos**
**3 chiles colorados**
**4 dientes de ajo**
**1/2 taza de vinagre**
**pimienta, cominos y sal al gusto**

Se pica en pedazos regulares la carne de la cabeza, después de haberla lavado perfectamente; se ponen los trozos en una olla grande de barro, sin agua, pues bastarán los jugos de la carne y lo demás para cocerse. Se le agrega sal, las especias, el ajo, los chiles y el vinagre, todo entero. En seguida, se tapa la olla muy bien con una cazuela que quede ajustada a la boca, poniendo en las junturas masa de maíz para cerrar toda abertura, pues no debe escaparse nada de vapor.
La olla así preparada se pone después sobre el fuego, que debe ser lento, pues de otra manera se quemaría la carne, y se deja cocer en esa forma por dos horas o más.

## Caldillo de carne seca de Sonora

• • • • • • •

**1/4 de kilo de tasajo**
**50 gramos de chile ancho**
**3 dientes de ajo**
**1 cebolla**
**2 cucharadas de manteca**
**sal al gusto**

Se lava la carne, teniendo cuidado de que no pierda la sal; se machaca y se asa; se deshebra y se fríe en la manteca. Los chiles se desvenan y se muelen junto con los ajos, la cebolla y la sal; se les agregan 2 tazas de agua y se le pone la carne, dejándola a fuego suave hasta que se sazone. Se sirve caliente.

## Pasta de Pachuca

• • • • • • •

**460 gramos de harina**
**1 huevo**
**150 gramos de manteca**
**1/4 de litro de pulque**
**1 cucharadita de sal**
**leche para embetunar**

*Relleno:*

**1/4 de kilo de filete de res**
**250 gramos de papas**
**2 cebollas de puerro**
**1 cucharada de perejil picado**
**2 chiles serranos**
**50 gramos de mantequilla**
**1/4 de litro de caldo de pollo**
**pimienta**
**sal al gusto**

Se cierne la harina con la sal; se le agrega el huevo, la manteca y el pulque necesario para hacer una pasta suave, que se extiende, dejándola de medio centímetro de espesor. Se corta en forma de ruedas, se les pone el relleno en el centro y se doblan como empanadas; se colocan en bandejas engrasadas, dejándolas reposar unas 2 horas. Se embetunan de leche y se cuecen en horno caliente.
El relleno se hace friendo la cebolla en la mantequilla, junto con los pedazos de filete cocido, las papas crudas cortadas en pedacitos; cuando todo esté frito se le agrega el caldo, la sal y la pimienta; se deja hervir hasta que espese lo más posible, y luego se le agrega el perejil picado muy fino.

## Filete a la mexicana

• • • • • • •

| | |
|---|---|
| 1 kilo de filete de buey | 2 hojas de laurel |
| 50 gramos de manteca | sal y pimienta |
| 1 chile ancho | un poco de orégano |
| 1 jitomate regular | pimientos morrones |
| 1 diente de ajo | chícharos cocidos |
| 1 clavo | puré de papas |
| 1/2 litro de pulque | |

Se limpia muy bien el filete, quitándole nervios y pellejos y se fríe en manteca o aceite. Cuando se ha dorado, se le agrega el chile, molido con jitomate, ajo, clavo y orégano; se deja freír, se le agregan las hojas de laurel y agua; cuando suelta el hervor, se le añade el pulque y se deja hervir 15 minutos más; se sazona con sal y pimienta y se deja hasta que termine la cocción y la salsa espese.
Se rebana, se pone en un platón, se baña con salsa y se decora con el puré de papa, puesto en boquilla rizada; se forma una bandera poniendo los chícharos cocidos y pasados por un colador, luego el puré y finalmente los pimientos. Esta es una hermosa y mexicana decoración con la bandera nacional.

## Lomo de ternera en estofado de Oaxaca

• • • • • • •

| | |
|---|---|
| 1 lomo de ternera | 1 cabeza de ajo chica |
| 1 chorizo | 1 naranja agria |
| 1/4 de kilo de jamón | cominos, clavo y pimienta |
| 1/4 de kilo de salchicha | vinagre y sal |
| 2 jitomates grandes | tomillo, hojas de laurel, |
| 1 cebolla grande | aceitunas y tornachiles |
| 2 chiles poblanos o | encurtidos |
| cuaresmeños | 2 cucharadas de harina |

Se harán unas cisuras al lomo, a trechos cortos, pero de modo que no se traspasen o dividan; se aderezan estas cortaduras por todos lados con sal, especias molidas, ajo y vinagre, y se deja reposar el lomo hasta

el día siguiente en que, poniéndolo en una vasija con manteca, se fría, sin abrirlo.
Juntamente con el lomo se freirán lonjas de jamón, el chorizo rebanado y la salchicha picada. Después de fritas las carnes se les agrega el ajo picado, jitomate asado y molido, rebanadas de cebolla y chiles poblanos o cuaresmeños en rajas. Se le añade suficiente agua, el zumo de la naranja agria, tomillo, dos o tres hojas de laurel, las mismas especias con las que se aderezó el lomo y harina dorada en manteca.
Se pone todo a cocer a dos fuegos, cuidando de menearlo, y cuando esté cocido y haya quedado el caldillo espeso, se sirve en un platón y se adorna con aceitunas y tornachiles encurtidos.

## Tapado de lengua de vaca de Coahuila

• • • • • • • •

**1/2 kilo de lengua de vaca**
**1 cebolla grande**
**1 cabeza de ajo**
**1 jitomate grande**
**4 chiles verdes**
**4 papas**
**1 vaso de vino de Málaga**
**clavo, pimienta y canela en polvo**
**almendras, aceitunas y alcaparras**
**sal al gusto**

En una cazuela con manteca, puesta a la lumbre, se ponen rebanadas delgadas de cebolla, ajo, jitomate y las rajas de chile verde con la sal correspondiente; se deja freír todo, sin que el recaudo quede muy refrito.
En otra cazuela untada con manteca se pone una cama de dicho recaudo, otra de rebanadas delgadas de lengua, ya cocida y despellejada, espolvoreándose el conjunto con las especias molidas, agregándose las papas, almendras, aceitunas y alcaparras. Se sigue en ese orden hasta agotar los ingredientes y entonces con cuidado, para no descomponerlas, se vierte por encima el vino, de modo que llegue a todas las capas. Se mete la cazuela al horno o se pone a dos fuegos hasta que se consuma el caldillo, cuidando de que no se queme. Se sirve caliente.

## Lengua mechada de Chihuahua

• • • • • • •

**1/2 kilo de lengua de ternera**
**100 gramos de jamón gordo**
**100 gramos de jamón magro**
**4 dientes de ajo**
**1/2 cebolla**
**1 vaso de vino tinto**
**1/2 vaso de vinagre**
**clavo, canela, pimienta y jengibre en polvo**
**1rama de salvia real**
**orégano, alcaparras y aceitunas**
**sal al gusto**

La lechuga se golpea con un mazo y se cocer en agua con sal, sacándola cuando ya esté a medio cocer. Se le quita el pellejo y se mecha con el jamón gordo, 2 dientes de ajo, clavo, canela y pimienta en polvo, todo bien picado y revuelto. En seguida se pone en una cazuela, donde se le agrega la mitad del vino y el vinagre, y otra vez clavo, canela y pimienta molidas y el jengibre también molido, la salvia real y la sal necesaria.

Se pone a cocer esa cazuela a dos fuegos o en el horno y cuando ya esté cocido se quita del fuego. Se coloca otra cazuela en la lumbre y se le pone manteca o aceite; se fríen allí los otros dos dientes de ajo picados y el jamón magro también muy bien picado, y estando todo frito se les vierte un poco del caldo en que se coció la lengua, el resto del vino tinto, y un poco de orégano y cebolla bien picada, alcaparras, aceitunas y la sal necesaria. Cuando todo está sazonado se le agrega la lengua con su recaudo, y se sirve caliente.

## Chorizos finos mexicanos

• • • • • • •

**1 kilo de lomo de cerdo**
**650 gramos de aguayón de res**
**350 gramos de lardo**
**100 gramos de pimentón dulce en polvo**
**3 gramos de perejil**
**4 gramos de ajo**
**40 gramos de cebolla**
**100 gramos de chile ancho en polvo**
**100 gramos de vinagre**
**3 gramos de orégano**
**3 gramos de cominos**
**5 gramos de pimienta en polvo**
**5 gramos de clavos molidos**
**1 gramo de nuez moscada en polvo**
**55 gramos de sal común**
**6 gramos de sal nitro**

La mitad de las carnes y 250 gramos de lardo se pasan por el molino y el resto del lomo y el lardo se pican con cuchillo. Se ponen esas carnes en un recipiente y se mezclan con todos los demás ingredientes. Ya mezclados, se dejan reposar durante 4 horas; luego se rellenan las tripas, picándolas para evitar que revienten; se atan a trechos iguales y se ponen a orear a la sombra, pudiéndose consumir a las 36 ó 48 horas.

## Lomitos de cerdo rellenos de México

• • • • • • •

**1 lomo grande de puerco**
**100 gramos de carne de puerco**
**100 gramos de jamón**
**100 gramos de longaniza**
**100 gramos de choricitos**
**4 huevos cocidos**
**2 jitomates**
**1 cabeza chica de ajo**
**2 ramas de perejil**
**2 tomates verdes o tomatillos**
**2 chiles verdes enteros**
**1 ramita de tomillo**
**1 ramita de romero**
**4 hojas de laurel**
**1 vaso de vinagre**
**1 vaso de vino blanco**
**1 rebanada de pan**
**cáscaras de almendras tostadas**
**canela, pimienta y clavo molidos**
**unos granos de pimienta enteros**
**aceitunas y chilitos en vinagre**
**sal al gusto**

Se corta el lomo de cerdo en pedazos de 10 centímetros de largo y se adelgazan a manera de cecina. Se pica la carne de puerco con las otras carnes, los huevos cocidos, un jitomate, la mitad de la cabeza de ajo, un tomate verde, una rama de perejil, las aceitunas y los chilitos en vinagre, con algo de especias en polvo, sal y vinagre. Se mezcla bien todo, y con este picadillo se rellenan los lomos, de manera que no queden muy abultados.

Se atan con un hilo los lomitos, para que no se les salga el relleno, y se ponen en una olla con el otro jitomate, el otro tomate verde o tomatillo, el ajo y el perejil que quedaron, picados muy menuditos; los chiles verdes enteros, la ramita de tomillo, la de romero y las hojas de laurel, con otro poco de vinagre, el vino blanco y el agua que hiciera falta para cubrir los lomitos, que se ponen en seguida. Se sazona todo con sal y los granos enteros de pimienta.

Se tapa la olla con papel y se le pone encima una cazuela chica con agua. Cuando estén cocidos los lomos se vacía todo en una cazuela grande, quitándole el tomillo, el romero y el laurel, y dejando que se doren los lomos a dos fuegos. Se sirven con una salsa hecha con las cáscaras de almendras tostadas, la rebanada de pan frita y dorada en manteca, clavo, canela y pimienta molidos; todo molido y frito en manteca y revuelto con caldo o agua.

## Pollo guisado de Michoacán

• • • • • • •

**1 pollo tierno**
**1 cabeza de ajo**
**1 cebolla grande**
**2 jitomates**
**3 chiles poblanos ó 6 tornachiles**
**fondos de alcachofas, habas verdes y chícharos**
**azafrán y cominos**
**pimienta y clavo molidos**
**alcaparras y chilitos**
**aceitunas en vinagre**
**aceite y vinagre**
**pan frito molido**
**sal al gusto**

Se divide el pollo en raciones, que se fríen en manteca con sal, volteándolas para que se cuezan bien. Los chiles poblanos o tornachiles con la cebolla, el ajo y el jitomate se muelen y se ponen a freír; los chiles deben estar desvenados. Cuando todo está frito se le agrega agua para hacer un caldillo, y se le añaden las especias molidas, con los fondos de alcachofas picadas, los chícharos y las habas verdes. Se deja cocer muy bien, y cuando lo está, se espesa el caldillo con pan frito molido, poniéndole un poco de vinagre. Al llevarse a la mesa se le agregan las alcaparras, los chilitos y las aceitunas, con el aceite de oliva.

## Queso de cerdo de Toluca

• • • • • • •

**1 hígado de puerco**
**2/3 de su peso de gordura del puerco**
**1/3 de su peso de papada del puerco**
**pimienta y especias molidas**
**nuez moscada raspada**
**tomillo, salvia, laurel, albahaca, perejil y cilantro picados**
**anís machacado**
**sal al gusto**

Las carnes y la gordura se pican bien y se les agregan los demás ingredientes, revolviendo todo junto para formar el picadillo. Se pone éste en un molde de hoja de lata que haya sido engrasado y se mete al horno bien caliente. Se deja cocer y cuando lo esté, se saca del molde, metiéndolo en agua hirviendo. El picadillo ya hecho pasta, se puede partir en lonjas para servirlo y comerlo.

## Chícharos en adobo de Sinaloa

• • • • • • •

**1 kilo de lomo de puerco**
**6 chiles anchos**
**1 kilo de chícharos verdes**
**1/4 de kilo de choricitos**
**1 trozo de pan**
**3 dientes de ajo**
**cominos, vinagre y sal al gusto**

Desvenados y remojados los chiles, se muelen con el pan frito en manteca, los dientes de ajo y los cominos. Se fríe todo, sazonándolo con sal; se añade luego el vinagre y el caldo en que se habrá cocido el puerco; se agrega éste en trozos, con los choricitos y al final los chícharos, que estarán cocidos también. Se deja hervir hasta que el adobo quede de una consistencia regular. Se sirve caliente.

## Adobo seco de Guanajuato

• • • • • • •

**1 kilo de carne de puerco**
**12 chiles anchos**
**2 cabezas de ajo**
**1 plátano frito**
**cominos, vinagre y sal al gusto**

Se desvena el chile y se pone en agua, para que le quite un poco lo picante; se muele después con los ajos y cominos y se le agrega vinagre para hacer el caldo, con la sal y el agua necesarios. En una olla se pone la carne de puerco y se cubre con el caldo anterior. Esta operación se hace por la tarde, para que la carne repose en infusión toda la noche. A la mañana siguiente, se pone a cocer; si tiene gordura, se le pone poca manteca, y un poco más si no la tiene. El adobo espesa por sí mismo, y el chile debe graduarse para que el caldo no carezca del adobo; en caso de faltarle, se le puede agregar otro poco de vinagre. Al servirlo, se adorna con rebanadas de plátano frito.

## Arroz en adobo de Veracruz

• • • • • • •

**1/2 kilo de arroz**
**1/2 kilo de carne de puerco**
**1/4 de kilo de longaniza**
**6 chiles anchos**
**2 dientes de ajo**
**tornachiles, alcaparras, aceitunas, chilitos en vinagre y orégano**
**aceite de comer, vinagre y sal al gusto**

Lavado el arroz, se mete en una servilleta y se ata, procurando que quede holgado. Se pone a hervir una poca de agua en una olla y se cuelga la servilleta con el arroz hacia adentro, pero sin tocar el agua; se tapa la olla para que el arroz se cueza a vapor. Mientras tanto, se desvenan y remojan los chiles anchos, lavándolos en dos o tres aguas; se sacan y se muelen con el ajo.

Se pone a freír manteca en una cazuela; se coloca allí la carne de puerco en trozos y cuando esté frita se saca de la manteca; se fríe en ella el chile y cuando esté bien frito se le pone una poca de agua. Después se le agrega el aceite, el vinagre, los tornachiles, las alcaparras y un poco de orégano; se sazona con sal y se deja hervir hasta que haya espesado regularmente. Al servir el arroz, se le adorna con longaniza y trozos de carne de puerco bien frita, aceitunas y chilitos en vinagre.

## Cecina de puerco o tocino de Toluca

• • • • • • •

**2 kilos de carne de puerco**
**agua y sal al gusto**

Se llena un recipiente grande con agua y se le va poniendo sal, más cada vez que la anterior se disuelva, hasta que la concentración sea tal que se sostenga nadando arriba un huevo que se ponga. Se dejará entonces en un lugar frío y seco, metiendo allí la carne de puerco dividida en tiras como de tasajo. Pasados 8 días se puede empezar a hacer uso de esa carne salada, dejando la que no se use, en sal, todo el tiempo que se quiera, pues no se daña. Sólo habrá que quitarle el moho, cuando se le forme.

## Cochinito de Iguala

• • • • • • •

**2 kilos de carne de cerdo**
**1/4 de kilo de chile ancho**
**1/2 cabeza de ajo**
**6 clavos de olor**
**6 granos de pimienta**
**1 trocito de canela**
**1 taza de vinagre**
**4 hojas de laurel**
**1 bolillo de pan**
**sal al gusto**

Se ponen a remojar los chiles; se desvenan y se doran en manteca; en seguida se muelen, con las especias y el ajo, añadiéndole el vinagre. Se pone allí la carne cruda, cortada en trozos regulares. Este adobo se deja reposar toda la noche y al día siguiente se pone a cocer a fuego lento, agregándole un poco de agua, y ya para terminar la cocción, se le pone el pan molido, el cual previamente se remojará en vinagre, y un poco de cilantro tostado y molido. Mientras se cuece, se le va rociando agua fría poco a poco, para que suelte la grasa, y en seguida se aparta de la lumbre.

## Tinga de puerco de Puebla

• • • • • • •

**1 kilo de costillas de puerco**
**1/2 kilo de jitomate asado y molido**
**8 chiles chipotles en vinagre**
**1 cebolla grande en rebanadas**
**sal al gusto**

Se limpia la carne y se pone en una olla con sal, dejando que con la grasa que suelta se fría muy bien; ya estando frita se le agrega la cebolla y cuando está acitronada se le añade el chipotle, que estará desvenado y muy picado, y luego el jitomate. Se deja freír un poco, se tapa la olla y se deja cocer a vapor. Se sirve caliente.

## Lomo tricolor del Distrito Federal

• • • • • • •

600 gramos de lomo de cerdo, sin costilla
200 gramos de lomo de cerdo molido
3 huevos duros
1 huevo crudo
1/2 taza de pan molido
10 chiles serranos
2 jitomates grandes, muy colorados
3 aguacates
1 cucharadita de cebollas de cambray picadas
1 lechuga picada
1 cucharadita de perejil picado
100 gramos de almendras peladas
1/2 diente de ajo
12 nucces de Castilla peladas
6 ciruelas pasas grandes, cortadas en tiritas
1 limón
75 gramos de manteca de cerdo
aceite de oliva y sal al gusto

Se abre el lomo delgado, pero, cuidando de que no se parta; se muelen los chiles y se le untan al lomo; se deja reposar una hora y pasado ese tiempo se lava la carne, se seca y se rellena con el siguiente picadillo: A la carne molida se le agregan las almendras, las nueces, la cebolla de cambray, el perejil, el pan, todo molido o picado; las ciruclas pasas, el huevo crudo, sal y pimienta al gusto. Se mezcla todo muy bien, se rellena el lomo con ello y se ata con un cordón, cuidando de que el relleno no se salga.

Se pone a dorar en una cacerola, donde se habrá puesto la manteca, procurando que quede bien dorado por todos sus lados; una vez que lo esté, se le añadirá un vaso de agua; cuando hierva, se bajan las flamas y se deja cocinar a fuego lento durante una hora, cuidando de que no se pegue y añadiéndole de cuando en cuando un poco de agua. En un platón se colocará la lechuga, bien picada y aderezada con aceite de oliva, un poco de limón, sal y pimienta; encima se coloca el lomo, mientras que la salsa se pondrá en una salsera. Se rodeará la carne en el orden siguiente: a los aguacates, ya pelados, se les quita el hueso y se voltean en el platón, de modo que quede el hueco del hueso hacia abajo; los huevos duros se cortarán a la mitad, colocándose a la derecha del aguacate con la yema hacia abajo; finalmente se pondrán rebanadas de jitomate para formar la franja roja de la bandera.

## Cochinita pibil a la campechana

• • • • • • •

**1 lechoncito chico, muy tierno**
**6 chiles anchos**
**6 dientes de ajo**
**2 cebollas medianas enteras**
**5 hojas de laurel**
**1 ramita de canela**
**unos clavos de especias**
**unos pocos de cominos**
**unos granos de pimienta**
**12 ó 14 almendras**

Se limpia muy bien el lechoncito; se unta ligeramente de aceite y se mete al horno. Cuando se ha cocido a medias se saca del horno. Se tendrá cuidado de que el fuego en que se cueza esté bien distribuido, tanto por abajo como por arriba, para que quede igual de un lado que de otro.

Una vez que el lechoncito se ha sacado del horno, a medio cocer, se desvenan bien los chiles anchos y se ponen a hervir, agregándoles los clavos de especias, los dientes de ajo, las cebollas, la ramita de canela, los cominos, las hojas de laurel y los granos de pimienta. Cuando todo ha hervido durante media hora se retira del fuego y se muele en un metate o molino, procurando que quede bien molido. Se pone todo junto a freír en aceite; se saca y se deja enfriar.

Se fríen las almendras, después de haberlas descascarado y luego se muelen, juntándolas con la mezcla anterior, revolviendo todo muy bien. Con la salsa se unta bien a la cochinita, procurando que no quede ningún espacio donde no llegue ésta. Se le agrega un poco del caldo en que se coció, y se mete al horno para que se termine la cocción. La salsa debe quedar algo aguada.

## Cordero a la mexicana

• • • • • • •

**1 pierna de cordero**
**1/2 kilo de papas**
**2 dientes de ajo**
**perejil, tomillo y laurel**
**aceite y vinagre**
**pimienta molida y sal al gusto**

En una cazuela con manteca se colocan las papas cortadas en rebanadas gruesas, una ramita de perejil, una hoja de laurel y un poco de tomillo; encima de ello se pone la pierna de cordero, untada con manteca y salpimentada con sal y un poco de pimienta molida. Se mete al horno y se deja que se cueza; se saca y antes de servirla se moja la pierna con un aceite compuesto con ajo y perejil picados, y un poco de vinagre.

## Cabezas de carnero de México

• • • • • • •

**2 cabezas de carnero**
**2 chiles anchos**
**2 dientes de ajo**
**1 cebolla chica**
**2 chiles pasillas**
**4 rábanos**
**50 gramos de queso añejo**
**chilitos y aceitunas en vinagre**
**1 lechuga grande**
**un poco de pulque**
**cominos y sal al gusto**

Despellejadas las cabezas, se ponen a cocer en agua con sal; estando bien cocidas, se les parte el cráneo para sacarles los sesos; se asan y se mezclan con un adobo hecho con los chiles anchos remojados, los dientes de ajo y cominos, todo molido y sazonado con sal; se le agrega un poquito de manteca al adobo que se vuelve a meter dentro de las cabezas, como relleno; éstas se ponen en hojas de lata, en el horno, volviéndolas a ratos para que se doren por todos lados.
Se sirven calientes sobre las hojas de lechuga, y bañadas en la salsa, que se ha hecho con los rábanos, la cebolla, los chilitos y las aceitunas en su propio vinagre, bien picados. Se pone aparte una salsera con los chiles pasilla, remojados en un poco de pulque y molidos con sal, el queso añejo rallado, más chilitos y aceitunas en vinagre. La salsa pue-

de hacerse con agua en vez de pulque, cuando no se encuentra éste, y entonces se le añade un poco de aceite de oliva. Las cabezas pueden asarse también en el horno, sin enchilarse y espolvoreadas con sal y pimienta. También se hacen rellenas con picadillo de carne de puerco, siguiéndose en lo demás, los mismos procedimientos.

## Birria zacatecana

• • • • • • •

**1 carnero tierno**
**2 kilos de masa de maíz**
**1/4 de kilo de chile ancho**
**120 gramos de chile cascabel**
**30 gramos de chile mora**
**5 dientes de ajo**
**15 pimientas enteras**
**5 clavos de especias**
**1 raja de canela**
**2 ramitas de tomillo**
**1/2 cucharadita de cominos, orégano y vinagre**

*Salsa:*

**1 kilo de jitomate**
**4 cebollas**
**60 gramos de chile cascabel**
**1 cucharadita de orégano**
**sal al gusto**

Se ponen a cocer el jitomate y el chile para hacer la salsa; se muelen y se les agrega el jugo de la carne, la sal, el orégano en polvo y las cebollas picadas. Para hacer la birria, se corta la carne en trozos y se coloca en un recipiente para hornear; se asan los chiles, se remojan en agua caliente y se muelen hasta formar una pasta; luego se muelen los ajos y las especias, agregándoles el vinagre necesario, y con esa salsa se baña la carne. Se deja reposar por 24 horas, luego se cubre con un papel y con la masa y se mete al horno caliente hasta que se cueza el carnero. Se sirve con su jugo y se le agrega la salsa.

## Barbacoa en mixiote de Tulancingo

• • • • • • •

**4 kilos de carne de carnero, en trozos de 1 kilo**
**25 chiles anchos**
**3 cebollas**
**10 dientes de ajo**
**120 gramos de almendras**
**1 cucharadita de orégano**
**1/2 litro de caldo de pollo**
**trocitos de mixiote**
**hojas de aguacate**
**sal al gusto**

El mixiote se saca de la penca del maguey y se pone a remojar en agua, hasta que se ablanda y se corta en cuadritos. Los chiles se tuestan ligeramente y se desvenan; se ponen a remojar en el caldo y cuando están suaves se les muele junto con los ajos, la cebolla y las almendras peladas, y se sazonan con sal y orégano.
A cada cuadrito de mixiote se le pone una hoja de aguacate y una pieza de carne remojada en salsa de chile; se hacen bolsitas, amarrándoles los extremos con hilo y se ponen a cocer en el horno de la barbacoa o en un recipiente a baño María. Como aperitivo para acompañar este sabroso platillo, los hidalguenses toman una bebida que llaman *carnaval*.

### *Carnaval*

**1 litro de tequila**
**1/4 de kilo de azúcar**
**jugo de 24 naranjas**

El tequila y el jugo de naranja se mezclan por mitad, agregándole después el azúcar. Se toma en vasitos.

## Cabrito adobado de Nuevo León

• • • • • • •

**1 kilo de carne de cabrito**
**4 dientes de ajo**
**2 chiles anchos**
**clavo, pimienta, cominos y jengibre molidos**
**1 cebolla chica**
**hojas de laurel**
**tomillo y aceitunas**
**sal al gusto**

Se freirán en manteca con sal las raciones de cabrito que se hayan cortado; estando fritas, se le agregarán los dientes de ajo machacados; ya que todo se haya frito, se añadirán los chiles anchos desvenados y molidos con las especias; se agregará el agua necesaria y el vinagre, las hojas de laurel y el tomillo. Cuando todo se haya cocido, se quemará manteca en una cazuela y allí se vaciará la otra vasija, quitándole el tomillo y el laurel. A dos fuegos o al horno, se acabará de cocer el cabrito, y al servirlo se le pondrán rebanadas de cebolla y aceitunas para adornarlo.

## Sihuamonte de Chihuahua

• • • • • • •

**1 kilo de carne con hueso, de conejo**
**1 cebolla**
**2 jitomates**
**1 taza de harina o masa de maíz**
**epazote, perejil en rama, chile y sal al gusto**

Se dispone la carne en piezas regulares; se asa muy bien y se pone a cocer con suficiente agua. Cuando está ya cocida, se le agregan la cebolla y el jitomate, bien molidos o picados muy menuditos. Se le mezcla la harina de maíz o la masa para formar una especie de mole, espesándolo al gusto. Se agrega el epazote, el perejil, el chile y la sal al gusto, poniéndolo todo al fuego, hasta que se sazone bien.

## Caldo largo alvaradeño

● ● ● ● ● ● ●

**1/2 kilo de pescado en trozos**
**3 jitomates medianos**
**2 cebollas grandes**
**2 dientes de ajo**
**2 chiles cuaresmeños en vinagre**
**1/8 litro de aceite**
**orégano, sal y pimienta al gusto**

En una olla de barro o cazuela honda se ponen el aceite, la cebolla rebanada, los dientes de ajo machacados, el jitomate molido y colado, el orégano, la sal y la pimienta, y el pescado limpio. Se agrega agua suficiente y se deja hervir a fuego lento hasta que se haya cocido el pescado; entonces se saca, se le quitan las espinas y la piel y se vuelve a poner, en trozos, en el caldo, añadiéndole los chiles cuaresmeños. Se sirve con cuadritos de pan frito.

## Pescado blanco a la parrilla de Michoacán

● ● ● ● ● ● ●

**2 pescados blancos**
**1 jitomate grande**
**1 cebolla grande**
**2 chiles frescos**
**tiras de palma o de hojas de maíz, para amarrar**
**orégano, sal y vinagre al gusto**

Se abren los pescados sin escamar, por el lomo; se despoja de los intestinos y se lavan; en seguida se les unta vinagre y la sal, por dentro y por fuera, y se rellenan con tajadas de jitomate y cebolla, los chiles frescos picados y el orégano. Se ponen a la lumbre sobre una parrilla, previamente liados con las tiras de palma o de maíz, para que no se salga el relleno. Se sirven inmediatamente que estén cocidos.

## Bacalao de Guerrero

• • • • • • •

**1 kilo de bacalao**
**1/2 kilo de jitomate**
**1/4 de kilo de cebolla**
**1/4 de kilo de chiles verdes**
**1 cabeza de ajo**
**migajón de pan, vinagre y sal al gusto**

Después de cocido, se parte el bacalao en lonjas y se le quitan las espinas, cuidando de que no queden los pedazos muy chicos. Se fríen en manteca el jitomate, la cebolla, los chiles verdes y el ajo, todo picado. Se ponen en una cazuela capas de esta fritura alternándolas con capas de bacalao; se añade un migajón de pan mojado en vinagre para que espese. Se tapa la cazuela y se deja hervir, a dos fuegos lentos, más de media hora, sin menearlo, y luego, se lleva a la mesa.

## Pescado asado de Guerrero

• • • • • • •

**1 pescado al gusto**
**1 cebolla**
**2 limones**
**pimienta, perejil y laurel**
**aceite de comer**
**sal al gusto**

Después de limpio el pescado, se enjuga bien; se unta con sal, pimienta molida, limón y aceite; se coloca en la parrilla y debajo de ella se ponen, en la lumbre, hojas de laurel de vez en cuando, para que el pescado reciba el humo y resulte ahumado. Se voltea con frecuencia, untándole más aceite, limón y pimienta, cada vez que se haga, hasta que ya esté dorado. Se sirve con cebolla y perejil picado.

## Pámpano con chícharos de Veracruz

• • • • • • • •

**1 pámpano grande**
**50 gramos de chícharos**
**50 gramos de ejotes**
**1 jitomate chico**
**1 cebolla chica**
**2 dientes de ajo**
**2 huevos**
**aceitunas, alcaparras y chiles en vinagre**
**un poco de harina**
**clavo, pimienta y sal al gusto**

Se limpia y se desala el pámpano; se fríen los chícharos y los ejotes cocidos, picados éstos con la cebolla, el ajo y el jitomate crudo, todo ello muy menudo, sazonándolo con sal, clavo y pimienta molidos. Estando sazonado el recaudo, se le agregan los huevos a medio batir y cuando todo ha cuajado se abre y se rellena el pescado con tal picadillo; se ata con un hilo y se envuelve en papel aceitado, poniéndolo a asar en la parrilla. Se tendrá cuidado de voltearlo de uno a otro lado hasta que se cueza parejo. Estando cocido se le quita el papel, se desata y se sirve de ese modo, o bien se revuelca en harina y se vuelve a freír, adornándolo con alcaparras, chilitos en vinagre y aceitunas.

## Sábalo a la parrilla de Tamaulipas

• • • • • • • •

**1 pescado sábalo**
**1 vaso de aceite**
**mantequilla**
**alcaparras y acederas**
**pimienta**
**sal al gusto**

Después de vaciado y lavado el sábalo, se descama, se enjuga y se deja escurrir entre dos lienzos; se pone en un plato con sal, pimienta y aceite; se voltea varias veces en esa salsa para que se penetre de ella, durante una hora antes de servirlo. Se coloca en seguida sobre la parrilla a fuego suave, y al momento de llevarlo a la mesa se cubre con mantequilla, a la que se le han puesto las alcaparras y acederas.

## Pescado con gallina de Sonora

• • • • • • •

**1 pescado de la clase que se prefiera**
**1 chile verde**
**1 jitomate grande**
**1 cebolla chica**
**2 tomatillos o tomates verdes**
**2 dientes de ajo**
**1 trozo de pan**
**hígados de gallina**
**pimienta, clavo y canela molidos**
**aceitunas y tornachiles**
**vinagre, aceite y manteca**
**mantequilla**
**sal al gusto**

El chile verde asado y mondado, el jitomate muy maduro, la cebolla, el tomate y el ajo, todo muy molido, se fríen en aceite y manteca en proporciones iguales. Se muelen los hígados de gallina con el pedazo de pan mojado en vinagre, y ya que está bien frito se le mezcla el recaudo. Se diluye todo con el caldo en que se cuece el pescado; se le añaden las especias molidas, y estando bien espeso, se le pone la sal necesaria y las lonjas del pescado. Al retirarlo del fuego, se le añade un poco de vinagre y aceite, aceitunas y tornachiles.

## Pescado en jitomate de Durango

• • • • • • •

**1 pescado de la clase que se prefiera**
**2 cebollas chicas**
**4 dientes de ajo**
**2 jitomates grandes**
**aceite y manteca**
**chiles en vinagre y aceitunas**
**pimienta y sal al gusto**

Un día antes de comerse el pescado, se le pone a remojar para que se esponje. Al día siguiente, se lava y se sancocha en aceite, con 2 dientes de ajo picados; se fríe también una cebolla picada, en partes iguales de aceite y manteca; se le agregan después los jitomates cocidos y molidos juntamente con los otros 2 dientes de ajo y la pimienta. Estando todo frito se añade agua y sal y el pescado sancochado; se deja hervir. Al servirse, se le agregan los chilitos en vinagre, las aceitunas y la otra cebolla cocida.

## Sopa de pescado de Veracruz

• • • • • • •

**1 1/2 kilo de pescado fresco**
**3 pedazos de carne de cerdo**
**6 papas de tamaño medio**
**1 cebolla chica**
**2 litros de leche**
**1/8 de cucharadita de pimienta**
**2 cucharaditas de sal**

Los trozos de carne de cerdo, en pedazos pequeños, se fríen hasta que estén tostados y se colocan en una olla. Se pelan y cortan en pedazos las papas; se pica fina la cebolla; se corta el pescado en trozos, que se colocan encima de las papas, poniéndole también el resto de la cebolla; se agrega la pimienta en grano y suficiente agua para que rebase el pescado. Se tapa la olla y se hierve hasta que las papas estén tiernas; se añade la leche y se escalda nuevamente. Antes de que se sirva el pescado, puede agregársele galletas o pan tostado desmenuzado.

## Sopa de jaibas de Tampico

• • • • • • •

**36 jaibas**
**150 gramos de calabacitas**
**50 gramos de chile cascabel**
**1/4 de chile ancho**
**2 cebollas**
**250 gramos de papa amarilla**
**8 pimientas enteras negras**
**2 ramitas de epazote**
**75 gramos de manteca**
**sal al gusto**

Se pone a cocer la mitad de las jaibas y se desmenuzan, a la otra mitad se le quitan las tenazas y las patas, dejando solamente las panzas; éstas se ponen a cocer en 3 litros de agua con los chiles asados, desvenados y molidos con el epazote, las pimientas, las calabacitas y las papas peladas y picadas. Se deja hervir todo hasta que se haya consumido a 2 litros; se cuela, separando las panzas. En la manteca se fríe la cebolla picada; se le agregan el caldillo colado, la carne de las jaibas desmenuzadas y las panzas; se deja que suelte un hervor y se sirve inmediatamente.

## Sopa de camarones de Sinaloa

• • • • • • •

| | |
|---|---|
| **1/4 de kilo de camarones frescos o secos** | **1 lechuga** |
| **6 chiles anchos** | **4 panes** |
| **4 dientes de ajo** | **manteca** |
| | **sal al gusto** |

Se muelen en seco los camarones y después los chiles anchos desvenados y remojados; se fríen en aceite 2 dientes de ajo molidos y se les añade el camarón y el chile; cuando todo esté frito, se le agrega agua y sal; al soltar el hervor, se le pone la lechuga cocida y picada con los otros 2 dientes de ajo y sazonada con sal, dejando que todo hierva un poco.
Se ponen en otra cazuela rebanadas de pan fritas en manteca, humedeciéndolas con el caldo de los camarones y encima una cama de lechuga, alternando las camas. Se dejará cocer esta sopa a dos fuegos, no debiendo quedar muy reseca.

## Pulpos a la marinera de Veracruz

• • • • • • •

| | |
|---|---|
| **1 pulpo tierno** | **1 frasco de alcaparras** |
| **2 tomates grandes** | **2 ramas de perejil** |
| **1 cebolla grande** | **tomillo** |
| **2 dientes de ajo** | **aceite de oliva** |
| **1 frasco de aceitunas** | **limones** |

Antes de lavar el pulpo se le exprimen algunos limones, dejándolo en el jugo durante 2 horas. En seguida se lava y se le quitan los ojos y, debajo de éstos, se le buscan las conchitas que tenga, teniendo buen cuidado de no dejarle ninguna de ellas. Encima de la cabeza tiene una bolsita amarilla, dentro de la cual se encuentra una piedrita azul, la que se recoge y se guarda. Terminadas estas operaciones, se golpea el pulpo con un mazo de madera para ablandar su carne; se corta en pequeños pedazos y se pone a cocer desde la noche anterior en que se vaya a comer.

Se pican la cebolla, el ajo, los jitomates y el perejil y se pone todo a freír en aceite de oliva; después de que esté bien frito se le agregan las aceitunas y las alcaparras. En esta salsa se pone el pulpo bien cocido, agregándole su propio caldo. Cuando se ha cocido todo junto, se quita del recipiente y se pone en una cazuela, a la que se agrega un poco de tomillo; la piedra que se quitó antes de la cabeza del pulpo, se disuelve en agua tibia y es lo último que se agrega a la cazuela, dejando ésta cerca de un fuego lento hasta que se lleve a servir a la mesa. No debe agregársele nada de sal durante la cocción o la fritura.

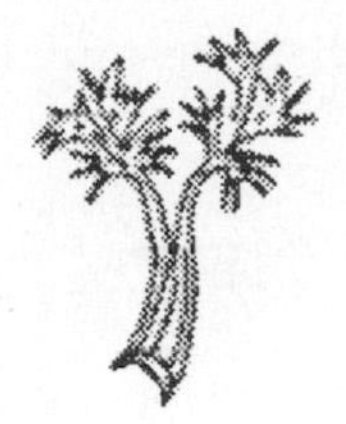

## Charales en chile de Colima

● ● ● ● ● ● ●

**1/4 de kilo de charales frescos o secos**
**1 jitomate grande**
**2 tomatillos o tomates verdes**
**1 chile pasilla**
**1 chile verde picante**
**1 diente de ajo**
**sal al gusto**

Se fríen los charales y después de fritos se les agrega la salsa, que se ha preparado picando todos los otros ingredientes; se le pone sal al gusto y se deja todo al fuego hasta que se sazone. Se sirve, si se quiere, adornado con hojas de lechuga y rabanitos abiertos en flor.

## Huevos de Yucatán en rabo de mestiza

• • • • • • • •

**8 huevos cocidos**
**225 gramos de queso fresco**
**1/2 taza de crema**
**2 tazas de leche**
**30 gramos de manteca**
**1 taza de puré de jitomate**
**4 chiles verdes poblanos**
**1 cebolla**
**pimienta molida y sal al gusto**

Se fríen en la manteca los chiles asados, desvenados y cortados en rajas; se agregan la cebolla picada y el puré de jitomate; se sazona con sal y pimienta y cuando esté bien frito se agregan la leche, la crema y el queso rallado o rebanado. Se deja hervir a fuego muy suave y cuando espesa se añaden los huevos cocidos rebanados; se deja hervir un poco para que sazonen y se sirven muy calientes.

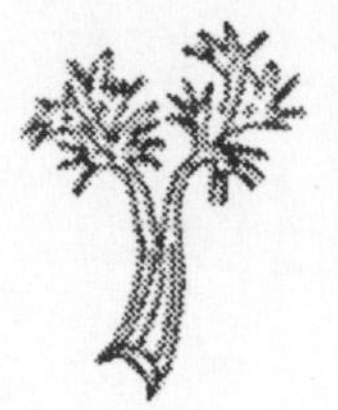

## Huevos rancheros de Nuevo León

• • • • • • • •

**6 huevos**
**6 tortillas**
**75 gramos de manteca**
**2 chiles serranos**
**12 tomates verdes**
**1 cebolla**
**1 diente de ajo**
**1 ramita de cilantro**
**sal al gusto**

En la manteca se fríen las tortillas y se ponen en el platón, sirviendo sobre cada una un huevo estrellado en manteca, y sobre el mismo una cucharada de salsa, que se prepara moliendo los tomates cocidos con la cebolla, los chiles, el ajo y el cilantro, y sazonando con sal y pimienta.

## Budín azteca del Distrito Federal

● ● ● ● ● ● ●

**10 tortillas**
**100 gramos de chile pasilla**
**150 gramos de queso crema**
**1/4 de kilo de crema**
**1/4 de litro de aceite**
**sal al gusto**

El chile se desvena, se tuesta, se pone a remojar, se muele y se fríe en un poco de aceite, de modo que no quede muy espeso. En un molde engrasado se ponen las tortillas ya fritas en aceite y enchiladas, pues se han metido de antemano en la salsa anterior; se ponen de dos en dos, con su queso y crema, terminando con el sobrante del chile, que se vacía encima. Se tapa muy bien, se le agrega una taza de agua y se pone a cocer al horno.

## Sopa de gusanillos de México

● ● ● ● ● ● ●

**1/2 kilo de harina**
**1 huevo**
**1/4 de litro de leche**
**1 jitomate grande**
**1 cebolla mediana**
**100 gramos de queso rallado**
**50 gramos de mantequilla**
**1 huevo cocido**
**acelgas, chilitos y aceitunas en vinagre**
**azafrán, pimienta y clavo molidos y sal al gusto**

Se moja la harina con el huevo crudo, se le pone sal y se amasa con leche, untándose la mano con manteca para suavizar la masa; se extiende ésta con un rodillo formando tiras de 2 ó 3 dedos de ancho, y con una carretilla o con un cuchillo se cortan muy menudos los gusanillos. Se fríen en manteca las acelgas, la cebolla y el jitomate picados muy menudos; se sazonan con las especias molidas; se les agrega un poco de caldo, el queso rallado, la mantequilla y un poquito de vinagre, y se deja hervir el caldillo para que espese un poco. En él se ponen los gusanillos, se tapa la cacerola y se acomoda en la boca de una olla para que reciba el vapor y se esponjen éstos.
Se sirve esta sopa con rebanadas de huevo cocido, chilitos y aceitunas en vinagre.

## Sopa de arroz de México

• • • • • • •

**6 cucharadas soperas de arroz**
**1 pollo**
**1 chorizo**
**2 huevos duros**
**1 jitomate grande**
**1 cebolla chica**
**2 dientes de ajo**
**2 chiles poblanos o tornachiles**
**azafrán**
**sal al gusto**

Se cuece el pollo en agua y sal y se divide en raciones de un tamaño regular. El arroz se lava y se pone en agua de azafrán para que tome color. En un recipiente puesto al fuego con manteca, se fríen el jitomate, la cebolla y los dientes de ajo, todo bien picado. Frito esto, se le agrega el arroz bien escurrido para que se fría también, añadiéndole luego el caldo en que se coció el pollo y dejándolo hervir con él. Cuando se haya consumido algo el caldo, se le pone el chile poblano, o tornachiles asados y pelados, que estén enteros y que queden encima.
Luego que esté cocido el arroz, se le mezclan las porciones de pollo y se deja a fuego lento para que acabe de consumirse el caldo. Al servirlo se adorna con rebanadas de chorizo y de huevo duro.

## Euchepos michoacanos

• • • • • • •

**10 elotes tiernos**
**150 gramos de mantequilla**
**50 gramos de crema de leche**
**3 chiles poblanos**
**sal al gusto**

Se rebanan en crudo los elotes; se muelen y se sazonan con sal. En las mismas hojas tiernas del elote se ponen cucharadas de esa pasta; se envuelven y se cuecen a vapor como cualquier tamal. Para servirse, se sacan de las hojas, se rebanan y se fríen en mantequilla, con las rajas de los chiles poblanos. Se colocan en un plato y se sirven rociados con crema.

## Sopa de elote de Michoacán

• • • • • • •

| | |
|---|---|
| **12 elotes tiernos** | **mantequilla** |
| **1 jitomate cocido y molido** | **rebanadas de queso** |
| **1 cebolla rebanada o picada** | **pimienta y sal al gusto** |

Se rebanan perfectamente los elotes; los granos se dividen 2 partes; una de ellas se muele y se cuela y la otra parte se fríe en mantequilla, añadiéndole el jitomate, la cebolla, la pimienta, la sal y las rebanadas de queso. A los 2 ó 3 minutos de haber agregado lo anterior, se le añade el elote molido y colado y se deja en el fuego hasta que se sazone bien.

## Torta de elote de Veracruz

• • • • • • •

| | |
|---|---|
| **16 elotes tiernos** | **100 gramos de mantequilla derretida** |
| **200 gramos de queso fresco de vaca** | **pan molido y canela molida al gusto** |
| **50 gramos de azúcar** | |
| **4 huevos** | |

Se desgranan los elotes y se muelen con el queso, el azúcar y la canela; se baten los huevos y se agregan a los elotes, así como la mantequilla derretida. En un molde engrasado con mantequilla y en cuyo fondo se haya puesto pan molido, se vierte la pasta y se cuece en horno durante 2 horas, a fuego lento. Se sirve caliente.

## Torta de huevo con plátano de Tabasco

• • • • • • • •

**1 plátano dominico**
**3 huevos**
**mantequilla**
**sal al gusto**

Se rebana el plátano en rodajas finas y se le agrega la sal con la mantequilla; se pone una sartén a la lumbre con aceite o manteca de cerdo, y cuando está caliente se vierten allí los huevos batidos con las rodajas de plátano; se dejan freír hasta que se cuezan, quedando lista la torta para servirse.

## Papas con calabacitas de Tlaxcala

• • • • • • • •

**6 papas grandes**
**6 calabacitas tiernas**
**6 cebollitas cabezonas**
**6 chiles anchos**
**orégano, cominos y sal al gusto**
**pan tostado y vinagre**

Se remojan los chiles anchos y se muelen con pan tostado y cominos; se fríe la pasta en manteca con sal y se les añade un poco de vinagre, y el agua en que se habrán cocido juntas las papas, las calabacitas, las cebollitas y el orégano. Papas, calabazas y cebollas rebanadas se agregan a lo anterior y se deja hervir todo, hasta que el caldillo quede un poco espeso. Se sirve caliente.

## Habas en salsa verde de Durango

• • • • • • •

**1/4 de kilo de habas frescas**
**1/8 de litro de crema**
**1/2 litro de caldo en que se cocieron las habas**
**2 cucharadas de aceite**
**4 chiles poblanos**
**1/2 kilo de tomates verdes**
**1 cebolla**
**pimienta en polvo y sal al gusto**

Los tomates se ponen a cocer; se muelen con los chiles asados y desvenados, con la cebolla y 3 cucharadas de habas cocidas. Todo esto se deshace en medio litro del caldo en que se cocieron las habas y se fríe en el aceite. Se agregan las habas cocidas y enteras; se sazonan con sal y pimienta en polvo; se deja hervir, y cuando espesa se retira; se agrega entonces la crema y se sirve inmediatamente.

## Revoltijo del Distrito Federal

• • • • • • •

**1 manojo de romeritos**
**4 chiles anchos**
**2 chiles mulatos**
**1 chile pasilla**
**1 cebolla**
**2 dientes de ajo**
**10 nopalitos tiernos**
**1/2 kilo de papas**
**30 gramos de cacahuates**
**1 cucharada de ajonjolí**
**2 pimientas**
**2 clavos de especias**
**1 raja de canela**
**2 huevos**
**1/4 de kilo de camarón seco**
**30 gramos de pan blanco**
**1 tortilla**
**100 gramos de manteca y sal**

Los chiles se desvenan, se fríen y se muelen junto con los cacahuates, la tortilla, el pan, el ajonjolí tostado, las especias, el ajo y la cebolla. Se disuelve todo en medio litro de agua caliente y se fríe en 2 cucharadas de manteca. Cuando comienza a espesar se le agregan las papas cocidas y cortadas en pedacitos; los nopales cocidos y los romeritos también cocidos y picados. Se sazona con sal y cuando suelte el hervor se le agregan los camarones cocidos y el agua donde se cocieron. Para hacer las tortitas se tuestan un poco 100 gramos de camarón; se muele y se le agregan los huevos batidos; se van tomando cucharadas de esta pasta y se fríen, poniéndolas en seguida en el caldillo.

## Chayotes rellenos de Hidalgo

● ● ● ● ● ● ●

**6 chayotes**
**1/4 de kilo de queso añejo**
**1 jitomate grande**
**1 cebolla chica**
**3 dientes de ajo**
**1 ramita de perejil**
**2 huevos**
**un poco de harina**
**sal al gusto**

Se rebanan y se pican el jitomate, media cebolla, un diente de ajo, y el perejil; se pone a freír este recaudo y se le aparta de la lumbre, añadiéndole el queso añejo rallado; se revuelve bien y con esto se rellenan los chayotes que han sido cocidos en agua, enjugados y partidos a lo largo por la mitad. Se cubre con los huevos batidos y vuelven a freírse, para que el huevo se cueza.

Se ponen los chayotes ya preparados sobre el platón, y sobre ellos una salsa que se hace poniendo a freír un poco de harina con la media cebolla y los 2 dientes de ajo que quedaron rebanados; cuando están fritos se les agrega un poco de agua y se deja sazonar al fuego.

## Chileajo de Oaxaca

● ● ● ● ● ● ●

**1/4 de kilo de ejotes**
**1/4 de kilo de calabacitas tiernas**
**1/4 de kilo de zanahorias**
**1/4 de kilo de papas**
**1/4 de kilo de chícharos**
**1 coliflor grande**
**2 chiles anchos**
**2 chiles cuicatecos**
**4 dientes de ajo**
**queso fresco**
**orégano y comino**
**vinagre**
**sal al gusto**

Se cuecen todas las verduras y se cortan en cuadritos pequeños; se remojan los chiles, y se muelen con el ajo, el orégano y los cominos; se baja con vinagre, y se le pone sal al gusto y se fríe. La verdura se revuelve con el chile y se adorna con queso fresco.

## Nopalitos navegantes de México

● ● ● ● ● ● ●

**6 nopales limpios de espinas**
**3 chiles pasilla**
**1 rama de epazote**
**1 cucharita de bicarbonato**
**1 taza de aceite de comer**
**sal al gusto**

Se cortan los nopales en tiras, a lo largo, y se cuecen en agua de bicarbonato. Después se pone una cazuela con manteca en la lumbre, que se deja calentar mucho, y se ponen los nopales a que se doren, con las hojas de epazote, agregándole después los chiles asados, desvenados y molidos. Se deja sazonar todo y, al sacar los nopales, se les agrega el aceite.

## Salsa de aguacate de Querétaro

● ● ● ● ● ● ●

**3 aguacates**
**3 chiles serranos, verdes**
**1/2 cebolla**
**2 cucharadas de aceite**
**3 cucharadas de agua**
**sal al gusto**

Los aguacates se pelan y se machacan con un tenedor; se les agrega el agua y, cuando se ha formado una pasta, se le ponen los chiles finamente picados, lo mismo que la cebolla y el aceite; se sazonan con sal y se sirven sobre cualquier carne rebanada, o pescado frito.

## Sopa de hierbas de México

• • • • • • •

| | |
|---|---|
| **1/4 de kilo de acederas** | **1 lonja de jamón o papada** |
| **1/4 de kilo de espinacas** | **6 huevos** |
| **1/4 de kilo de acelgas** | **un poco de harina** |
| **1/4 de kilo de perifollo** | **especias, pimienta y sal al** |
| **1/4 de kilo de lechugas** | **gusto** |

Se ponen en una olla las hierbas picadas y los demás ingredientes con agua; se deja cocer todo suavemente, añadiéndole un poco de harina para que espese el caldo. Se agregan los huevos batidos, que se mezclan bien con las hierbas, y todo se pone a calentar de nuevo, sin que hierva. Con este caldo de hierbas se moja la sopa de pan, o las migas de Morelos, empleándose en lugar del caldo de res, para hacer un platillo más substancioso.

## Tortas de flor de calabaza de México

• • • • • • •

| | |
|---|---|
| **2 manojos de flores de calabaza** | **2 huevos** |
| **1/4 de kilo de queso añejo** | **harina y manteca suficientes** |

Se limpian y se lavan muy bien las flores, partiéndolas por la mitad, a lo largo. Se colocan 3 mitades, una sobre otra, luego, una rebanada de queso añejo y, encima, otras 3 mitades en la misma forma. Se le pone a todo harina espolvoreada y se envuelve en huevo, para formar la torta, que se fríe en la manteca.
Si se quiere, se hace un caldo de chile verde y jitomate, o de chile colorado y jitomate, en el que se ponen a hervir las tortas por espacio de media hora; o si se prefiere, se les pone a hervir simplemente en agua con sal. Se sirven calientes.

## Cebollas rellenas de México

• • • • • • •

| | |
|---|---|
| **3 cebollas cabezonas** | **3 huevos** |
| **1/2 kilo de picadillo de res** | **harina y sal al gusto** |

Se toman las cebollas, se les cortan los rabos y se ponen a cocer en agua de sal. Cuando ya se han cocido se sacan y se enfrían. Con cuidado se abren y se saca el interior, dejando sólo una capa exterior no muy delgada; a lo que queda se le saca otra vez lo interior, dejando otra capa delgada, más chica que la primera, y así sucesivamente, hasta que se tengan varias cebollas huecas de distintos tamaños.
Se rellenan esas cebollas huecas con picadillo de res, preparado con sal, jitomate y cebolla, todo bien frito. Se espolvorean con harina las cebollas rellenas y se bañan en huevo batido; se fríen en manteca, y después se ponen a hervir en un caldillo, quedando listas para servirse. Pueden acompañarse con alguna salsa.

## Frijoles veracruzanos

• • • • • • •

| | |
|---|---|
| **1/2 kilo de frijol negro** | **pan rallado** |
| **2 dientes de ajo** | **manteca** |
| **1 cebolla mitad picada y mitad rebanada** | **sal al gusto** |

Se lavan y cuecen los frijoles con un poco de manteca y sal. Una vez cocidos, se apartan del caldillo. En una cazuela aparte se fríen los dientes de ajo rebanados, que se sacan en cuanto estén dorados; en el mismo aceite se fríe la cebolla picada, poniéndole, en seguida, los frijoles y el caldillo. Los frijoles deben machacarse con la cuchara al estarlos friendo y antes de ponerles el caldillo. Una vez puesto éste, se añaden las rebanadas de cebolla y el ajo y se pone todo a hervir, hasta que se consuma el caldo. Por último, se fríen los frijoles con bastante manteca y se les añade un poco de pan rallado. No se quitan del fuego hasta que formen un molote. Sírvanse bien calientes.

## Frijoles con puerco de Yucatán

• • • • • • •

| | |
|---|---|
| 1 kilo de frijoles negros | 4 dientes de ajo |
| 1/4 de kilo de carne de puerco | 1 chile ancho |
| 1 cebolla grande | aceite de comer, queso añejo y sal al gusto |

Se pone una cazuela con manteca o aceite a la lumbre; se fríe allí la tercera parte de la cebolla rebanada, con los dientes de ajo también desmenuzados; cuando se haya frito esto, se le agregan los frijoles cocidos con sal y que fueron previamente lavados. Estando bien sancochados, se les agrega la carne de puerco en trocitos, que previamente fue cocida, así como su caldo.

Se agrega otro tercio de la cebolla rebanada y sólo las pepitas del chile ancho, molidas; se deja hervir todo hasta que espese bien. Se sirven los frijoles adornándolos con el resto de la cebolla cruda, ahora bien picada, el queso añejo rallado y un poco de aceite de comer.

## Caldo de frijoles de Veracruz

• • • • • • •

| | |
|---|---|
| 1 litro de caldo de frijoles | 1/4 de kilo de queso rallado |
| 1 jitomate mediano | unas hojitas de cilantro |
| 1 cebolla chica | sal al gusto |

Se pican el jitomate y la cebolla muy finos; se fríen en manteca de cerdo; se les agrega el caldo de frijoles y cuando se haya cocido bien se saca del fuego y se le agrega queso rallado y las hojitas de cilantro. Se sirve caliente.

## Ensalada de nochebuena de México

• • • • • • •

| | |
|---|---|
| 4 betabeles | 2 limas |
| 1 rábano largo | 2 naranjas |
| 2 jícamas | 1 granada |
| 2 manzanas | cacahuates, piñones, miel, |
| 2 plátanos Tabasco | vinagre y sal al gusto |

Los betabeles muy bien cocidos y el rábano se rebanan en ruedas muy delgadas, las naranjas en ruedas o cuadritos y las demás frutas, o verduras, en cuadritos también. La granada se desgrana, y los piñones y cacahuates se ponen enteros. La miel se prepara con azúcar y se agrega ya fría, con un poco de vinagre y sal al gusto. Se le puede agregar algo de agua de la que se usó para cocer los betabeles, para darle colorido.

## Salsa borracha de Hidalgo

• • • • • • •

| | |
|---|---|
| 100 gramos de chile pasilla | 1 diente de ajo |
| 1 vaso de pulque | cebolla picada y queso |
| 2 chiles serranos y aceitunas | rallado |
| en vinagre | aceite de oliva y sal al gusto |

Se desvenan y tuestan los chiles pasillas y se muelen con el diente de ajo; se les agrega el pulque fuerte y un poco de aceite de oliva, de manera que quede una salsa aguada. Al servirse a la mesa, se le agregan los chiles serranos y las aceitunas en vinagre, la cebolla picada y el queso rallado encima. En los lugares donde no hay pulque, éste se sustituye con el vinagre fuerte.

## Salsa criolla del Distrito Federal

• • • • • • •

**1 cebolla mediana en rebanadas**
**3 tallos de apio picados**
**1 1/2 tazas de tomates verdes cocidos y molidos**
**1 taza de chícharos cocidos**
**3/4 de taza de pimientos verdes**
**2 cucharadas de aceite o manteca**
**1 cucharada de harina**
**1 cucharada de polvo de chile al gusto**
**2 cucharadas de sal**
**1/4 de cucharadita de pimienta**
**1 cucharadita de azúcar**
**2 cucharaditas de vinagre**
**1 taza de agua**

Se doran la cebolla, el apio y el pimiento verde a fuego lento, con la manteca o el aceite; se les mezcla entonces la harina, el polvo de chile, la sal, la pimienta y el azúcar; se agregan los jugos de tomate y vinagre, despacio, moviendo constantemente y se pone al fuego lento, sin dejarlo hervir; se agregan los chícharos y, si se quiere una mejor consistencia, puede ponérsele un poco de harina mezclada con agua fría. Se sirve esta salsa en el arroz.

## Enchiladas norteñas

• • • • • • • •

- 20 tortillas chicas y delgadas
- 120 gramos de chile ancho
- 1/8 de litro de crema
- 125 gramos de nata de leche cocida
- 125 gramos de queso Colonial o Kraft
- 25 gramos de maicena
- 175 gramos de manteca de unto
- 1/2 diente de ajo
- 1/8 de litro de leche
- 1 lechuga
- pollo o carne para el relleno
- sal al gusto

Los chiles se desvenan y se ponen a remojar en agua hirviendo. Se sacan y se muelen con el ajo, bajándolos del metate con la leche, en la que se habrá disuelto la maicena. Las tortillas se pasan por la manteca hirviendo. Y se tendrá el chile frito con la nata y la crema incorporadas y sal al gusto. En esa salsa se mojan las tortillas, después de pasadas por la manteca. Se rellenan con el pollo o la carne del relleno; se acomodan en un platón refractario, cubriéndolas con la salsa sobrante y el queso rallado. Se meten al horno un rato; se sacan y se sirven calientes, adornadas con hojas de lechuga.

## Chilaquiles de México

• • • • • • •

**1 kilo de masa de maíz**
**1/4 de kilo de manteca de puerco**
**1/2 kilo de carne molida de res**
**1 cebolla chica**
**6 huevos**
**1 jitomate grande**
**1 cajita de mole o pipián en polvo**
**harina y sal al gusto**

Se incorpora a la masa de maíz la manteca y sal al gusto; se hacen tortillas de 8 a 9 centímetros de diámetro por 2 de grueso, cuidando que queden bien cocidas; cada una de esas gorditas se abren por la mitad, se ahuecan y se rellenan con la carne, que se ha preparado en forma de picadillo, friéndola con jitomate y cebolla picados y sal al gusto. Se unen las orillas de cada gordita con clara de huevo; se revuelcan en harina y se envuelven en huevo batido; se fríen después en manteca y se meten en el mole o pipián que ha sido ya preparado con el polvo desleído en caldo. Se sirven solos o acompañados de costillas y lomo de puerco.

## Enchiladas extendidas de Puebla

• • • • • • •

**24 tortillas**
**300 gramos de lomo de puerco**
**100 gramos de queso añejo**
**230 gramos de manteca**
**230 gramos de papas**
**230 gramos de tomate verde**
**2 chiles serranos**
**2 cebollas**
**sal al gusto**

Se meten las tortillas en manteca caliente; se sacan y se colocan en un platón; se les pone encima una cucharada de salsa verde a cada tortilla, que se ha hecho previamente, moliendo los tomates tatemados y despellejados, los chiles serranos y una cebolla muy bien picada. Encima de la salsa, se ponen las papas y el lomo cocidos y picados, la otra cebolla, también picada, y el queso rallado.

## Enchiladas de pulque de Hidalgo

• • • • • • •

| | |
|---|---|
| **24 tortillas** | **1 huevo** |
| **50 gramos de chile mulato** | **1 chorizo** |
| **50 gramos de chile pasilla** | **100 gramos de queso** |
| **50 gramos de chile ancho** | **175 gramos de manteca** |
| **1 cebolla** | **1/8 de litro de pulque** |
| **1 diente de ajo** | **sal al gusto** |
| **1 lechuga** | |

Se tuestan los chiles; se muelen con cebolla y ajo, el queso y el pulque; se les agrega el huevo, que se mezcla bien, y se fríe todo en dos cucharadas de manteca. El chorizo se fríe en la manteca restante y se incorpora a lo demás. Con ello se rellenan las tortillas; se doblan como empanadas y se colocan en un platón. Se espolvorean de queso y se adornan con hojas de lechuga.

## Enchiladas tapatías

• • • • • • •

| | |
|---|---|
| **24 tortillas** | **1/8 de litro de leche** |
| **4 chiles poblanos** | **1/2 taza de nata** |
| **3 jitomates** | **250 gramos de manteca** |
| **1 cebolla** | **1 cucharada de alcohol** |

*Relleno:*

| | |
|---|---|
| **3 chiles poblanos** | **1 lechuga** |
| **3 aguacates** | **115 gramos de queso fresco** |
| **1 manojo de rábanos** | **sal al gusto** |

Los chiles se asan y se fríen; se muelen con el jitomate asado y la cebolla; se les agrega la leche, la nata, alcohol y sal. Las tortillas se fríen, y cuando espesa esta salsa, se mojan en ella; se rellenan con rebanadas de aguacate, de queso fresco y de tiras de chiles que han sido asados y desvenados. Se doblan las tortillas y se sirven adornadas con hojas de lechuga y flores de rábanos.

Los mejores
antojitos mexicanos
Primera reimpresión
Abril 20, 2000
Impresión y encuadernación:
Quebecor Impreandes
Santa Fe de Bogotá
Colombia